KB085250

나는 이렇게 공부할 거야!

초등학교 이름

잘라서 사용할 수 있습니다.

01일차	02일차	03일차	04일차
6~11쪽	12~17쪽	18~23쪽	24~29쪽
월 일	월 일	월 일	월 일

05일차	06일차	07일차	08일차
30~35쪽	40~45쪽	46~51쪽	52~57쪽
월 일	월 일	월 일	월 일

09일차	10일차	11일차	12일차
58~63쪽	64~69쪽	74~79쪽	80~85쪽
월 일	월 일	월 일	월 일

13일차	14일차	15일차	16일차
86~91쪽	92~97쪽	98~103쪽	104~109쪽
월 일	월 일	월 일	월 일

17일차	18일차	19일차	20일차
110~115쪽	120~125쪽	126~131쪽	132~137쪽
월 일	월 일	월 일	월 일

21일차	22일차	23일차	24일차
138~143쪽	144~149쪽	154~159쪽	160~165쪽
월 일	월 일	월 일	월 일

오투

초등과학

4-2

구성과 특징

'① 탐구로 시작하기 → ② 개념 이해하기 → ③ 문제로 완성하기'의 3단계 학습으로 규칙적인 공부 습관을 기를 수 있습니다.

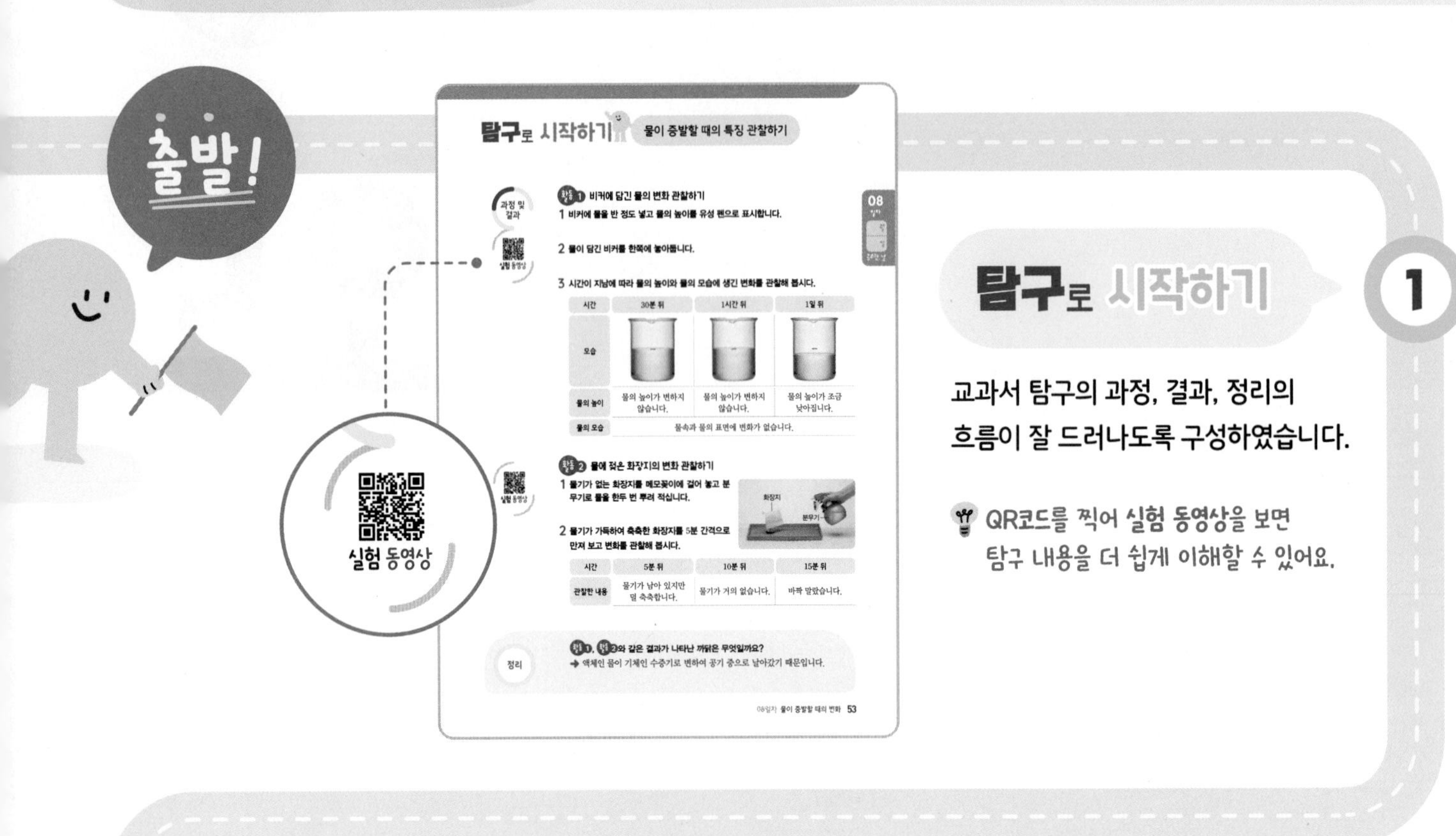

1 탐구로 시작하기

교과서 탐구의 과정, 결과, 정리의 흐름이 잘 드러나도록 구성하였습니다.

QR코드를 찍어 실험 동영상을 보면 탐구 내용을 더 쉽게 이해할 수 있어요.

2 개념 이해하기

7종 교과서를 완벽하게 비교 분석하여 빠진 교과 개념이 없게 구성하였습니다.
한 번에 개념의 흐름을 잡을 수 있도록 깔끔하게 정리하였습니다.

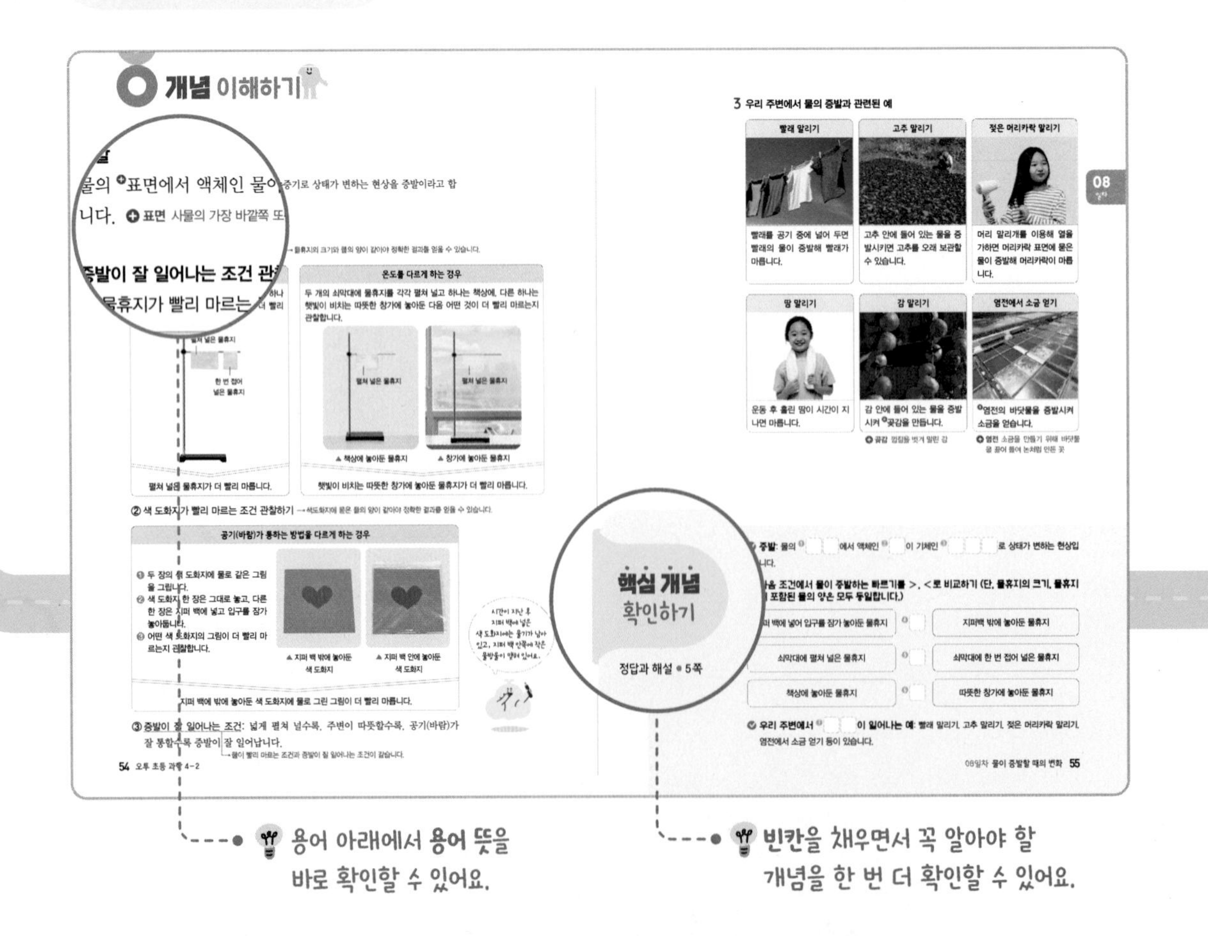

용어 아래에서 용어 뜻을 바로 확인할 수 있어요.

빈칸을 채우면서 꼭 알아야 할 개념을 한 번 더 확인할 수 있어요.

4

단원에서 배운 내용을 정리하고
학교 단원 평가에 대비할 수 있게 하였습니다.

특별 부록

QR코드를 찍으면 단원별로 정리된 용어와 추가 문제를 다운받을 수 있어요.

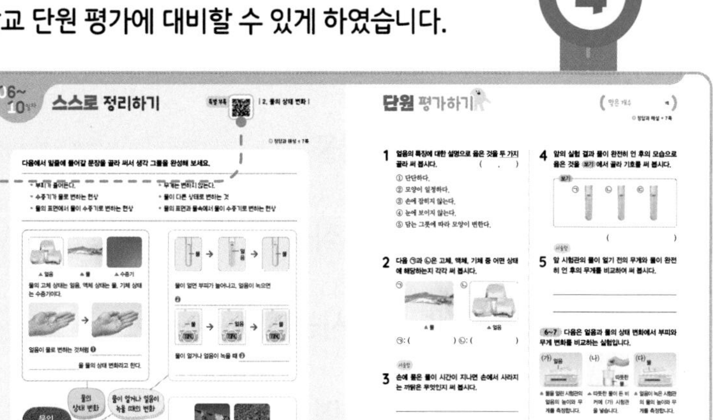

문제로 완성하기

3

탐구와 개념 학습의 결과를 확인하기에
적합한 문제들로 구성하였습니다.

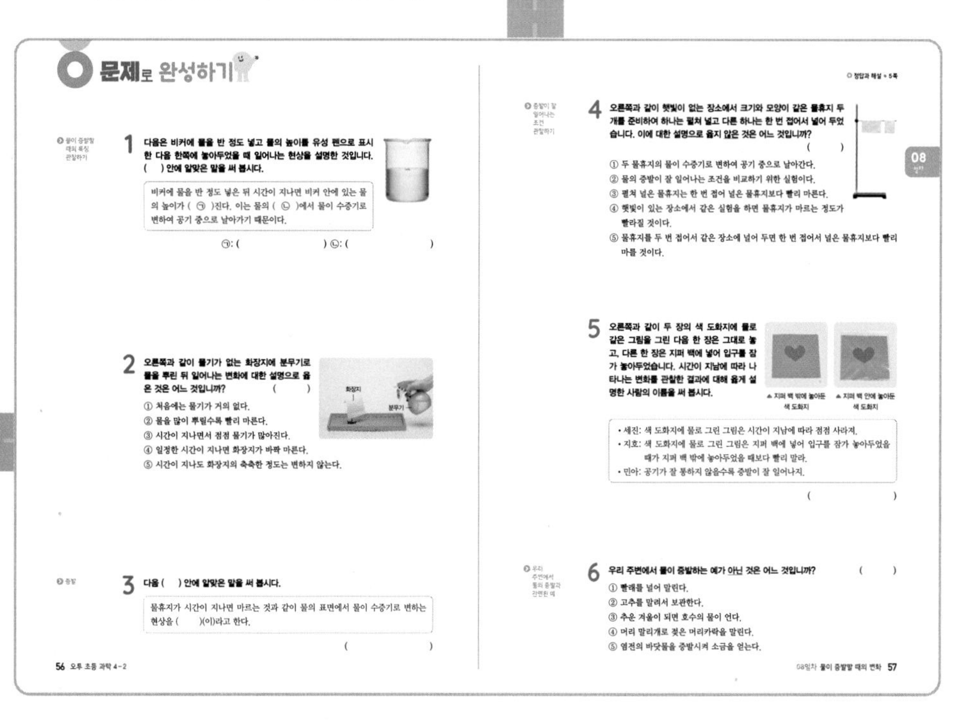

차례

1 식물의 생활

2 물의 상태 변화

규칙적으로 공부하고, 공부한 내용을 확인하는 과정을 반복하면서 과학이 재미있어지고, 자신감이 쌓여갑니다.

01 일차

잎의 특징에 따른 식물 분류

탐구로 시작하기 잎의 특징에 따라 식물 분류하기

1 학교 화단에서 여러 가지 잎을 채집하고, 잎의 생김새나 촉감 등을 관찰해 봅시다.

➔ 강아지풀 잎과 소나무 잎은 가늘고 길쭉합니다.
➔ 단풍나무 잎과 나팔꽃 잎은 갈라져 있습니다.
➔ 토끼풀 잎과 벚나무 잎은 ⊕가장자리가 ⊕톱니 모양입니다.
➔ 강아지풀 잎과 나팔꽃 잎은 만지면 털이 느껴집니다.

⊕ **가장자리** 둘레나 끝 부분
⊕ **톱니** 톱의 가장자리에 있는 뾰족뾰족한 이

2 잎의 특징에 따라 분류 기준을 정하고, 분류 기준이 알맞은지 이야기해 봅시다.

분류 기준	분류 기준으로 알맞은가?
• 잎의 모양이 예쁜가? • 잎의 크기가 큰가?	분류 기준으로 알맞지 않습니다. ➔ 사람에 따라 분류 결과가 달라지기 때문입니다.
• 잎의 모양이 가늘고 길쭉한가? • 잎을 만지면 털이 느껴지는가?	분류 기준으로 알맞습니다. ➔ 누가 분류해도 같은 결과가 나오기 때문입니다.

3 알맞은 분류 기준에 따라 식물을 분류해 봅시다.

분류 기준: 잎을 만지면 털이 느껴지는가?

정리

식물을 어떻게 분류할 수 있을까요?

➔ 잎의 생김새나 촉감과 같은 특징에 따라 분류할 수 있습니다.
➔ 꽃, 열매, 줄기, 뿌리의 특징에 따라 분류할 수도 있습니다.

개념 이해하기

1 잎의 생김새

2 여러 가지 식물의 잎

단풍나무	벚나무	소나무	토끼풀
• 손바닥 모양으로 갈라져 있습니다. • 잎의 끝이 뾰족합니다. • 잎의 가장자리가 톱니 모양입니다.	• 둥근 모양입니다. • 잎의 끝이 뾰족합니다. • 잎의 가장자리가 톱니 모양입니다.	• 바늘처럼 길고 뾰족합니다. • 잎이 한곳에 두 개씩 뭉쳐납니다. • 잎의 가장자리가 매끈합니다.	• 둥근 모양입니다. • 잎이 세 개씩 붙어 있습니다. • 잎의 가장자리가 톱니 모양입니다.

나팔꽃	사철나무	강아지풀	등나무
• 넓적하고 갈라져 있습니다. • 잎의 가장자리가 매끈합니다. • 털이 있습니다.	• 달걀 모양입니다. • 잎의 끝이 둥급니다. • 잎의 가장자리가 톱니 모양입니다.	• 가늘고 길쭉합니다. • 잎의 가장자리가 매끈합니다. • 털이 있습니다. • 잎맥이 나란합니다.	• 여러 개의 잎이 마주보며 붙어 있습니다. • 잎의 끝이 약간 뾰족합니다.

3 잎의 분류 기준

잎의 전체적인 모양, 끝 모양, 가장자리 모양, 잎자루에 붙어 있는 잎의 개수, 촉감 등

잎의 모양이 가늘고 길쭉한 것과 그렇지 않은 것	잎이 갈라진 것과 그렇지 않은 것	잎의 가장자리가 톱니 모양인 것과 그렇지 않은 것
잎의 끝이 뾰족한 것과 그렇지 않은 것	잎자루에 잎이 한 장인 것과 그렇지 않은 것	잎을 만지면 털이 느껴지는 것과 그렇지 않은 것

'예쁘다'와 같이 사람마다 판단 기준이 다른 것은 분류 기준으로 알맞지 않아요.

4 잎의 분류 기준에 따른 식물 분류

잎의 모양이 가늘고 길쭉한가?

그렇다.

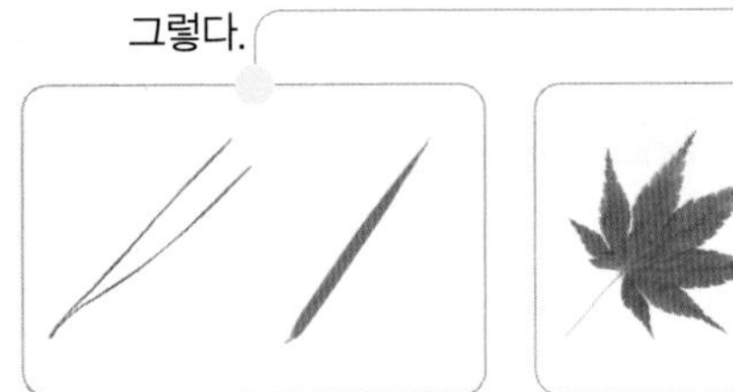

그렇지 않다.

잎이 갈라져 있는가?

그렇다.

그렇지 않다.

잎의 가장자리가 톱니 모양인가?

그렇다.

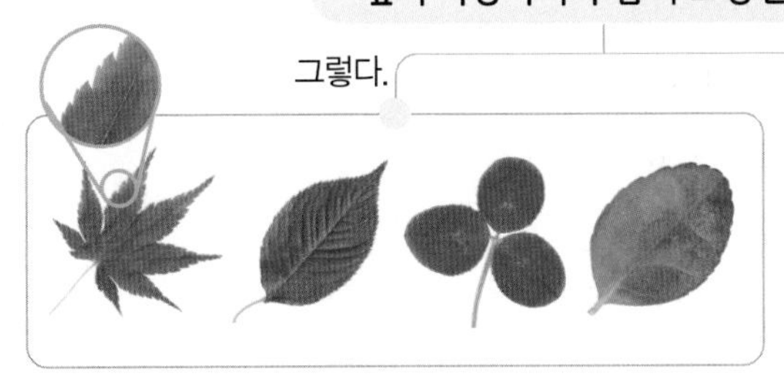

그렇지 않다.

➜ 식물을 특징에 따라 분류하면 식물을 이해하는 데 도움이 됩니다.

01 일차

핵심 개념 확인하기

정답과 해설 • 2쪽

✓ 여러 가지 식물의 잎

단풍나무	잎이 손바닥 모양으로 갈라져 있으며 잎의 가장자리가 ❶ ☐☐ 모양입니다.
소나무	바늘처럼 길고 뾰족하며 잎이 한곳에 ❷ ☐ 개씩 뭉쳐납니다.
토끼풀	둥근 모양이고 잎이 ❸ ☐ 개씩 붙어 있습니다.
강아지풀	가늘고 길쭉하며, ❹ ☐ 이 있습니다.

✓ 잎의 분류 기준에 따른 식물 분류

단풍나무, 벚나무, 소나무, 토끼풀, 나팔꽃, 강아지풀	잎의 모양이 가늘고 길쭉한가?	그렇다.	소나무, ❺ ☐☐☐☐
		그렇지 않다.	단풍나무, 벚나무, 토끼풀, 나팔꽃
	잎이 갈라져 있는가?	그렇다.	❻ ☐☐☐☐, 나팔꽃
		그렇지 않다.	벚나무, 소나무, 토끼풀, 강아지풀
	잎의 가장자리가 톱니 모양인가?	그렇다.	단풍나무, 벚나무, ❼ ☐☐☐
		그렇지 않다.	소나무, 나팔꽃, 강아지풀

문제로 완성하기

잎의 생김새

1 **오른쪽 잎의 ㉠~㉢ 부분의 이름을 각각 써 봅시다.**

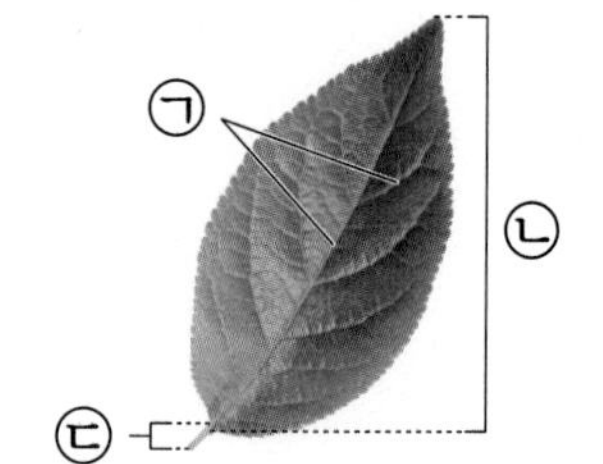

㉠: (   )
㉡: (   )
㉢: (   )

여러 가지 식물의 잎

2 **다음은 어떤 식물 잎의 생김새를 관찰한 것입니까?** (   )

- 바늘처럼 길고 뾰족하다.
- 잎의 가장자리가 매끈하다.
- 잎이 한곳에 두 개씩 뭉쳐난다.

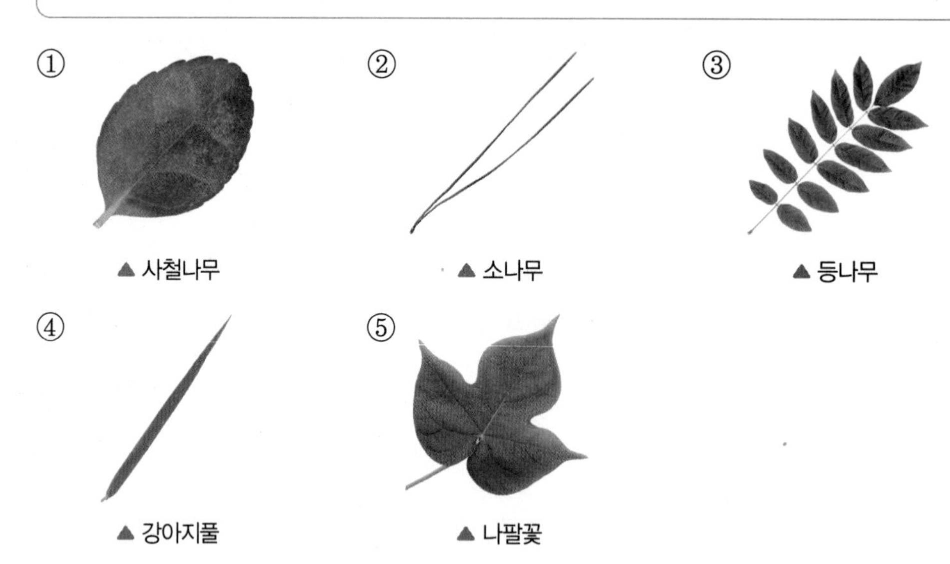

① ▲ 사철나무
② ▲ 소나무
③ ▲ 등나무
④ ▲ 강아지풀
⑤ ▲ 나팔꽃

3 **오른쪽 단풍나무 잎의 생김새를 관찰한 것으로 옳은 것은 어느 것입니까?** (   )

① 잎이 긴 편이다.
② 잎에 털이 있다.
③ 잎이 한곳에 여러 개씩 난다.
④ 잎이 손바닥 모양으로 갈라져 있다.
⑤ 잎의 끝은 둥글고, 잎의 가장자리가 톱니 모양이다.

잎의 분류 기준

4 **식물을 특징에 따라 분류할 때 분류 기준으로 알맞지 않은 것은 어느 것입니까?** (　　　)

① 잎의 색깔이 예쁜가?
② 잎에 털이 있는가?
③ 잎의 모양이 둥근가?
④ 잎의 끝이 뾰족한가?
⑤ 잎이 갈라져 있는가?

5~6 다음은 여러 가지 식물의 잎입니다.

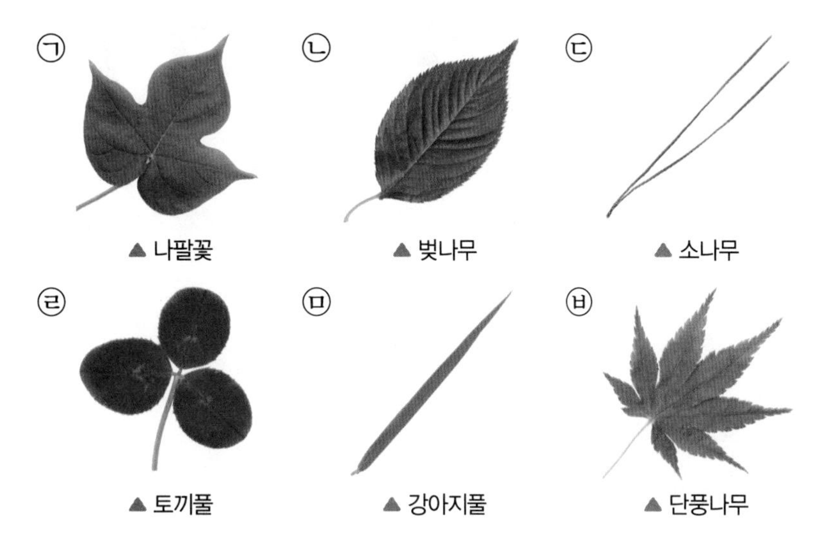

▲ 나팔꽃 ▲ 벚나무 ▲ 소나무

▲ 토끼풀 ▲ 강아지풀 ▲ 단풍나무

잎의 분류 기준에 따른 식물 분류

5 **다음과 같이 식물의 잎을 분류할 때 위 ㉠~㉥ 중 (가)와 (나)에 알맞은 식물을 골라 각각 기호를 써 봅시다.**

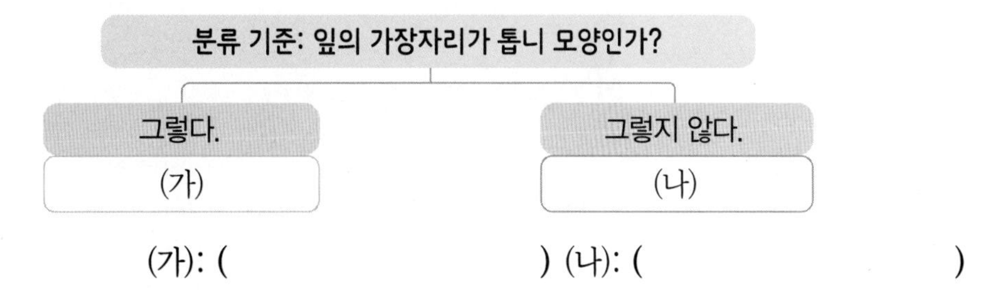

(가): (　　　　　　) (나): (　　　　　　)

6 **위 식물의 잎을 다음과 같이 분류했을 때, 분류 기준으로 옳은 것은 어느 것입니까?** (　　　)

그렇다.	그렇지 않다.
㉢, ㉤	㉠, ㉡, ㉣, ㉥

① 잎의 크기가 큰가?
② 잎의 두께가 두꺼운가?
③ 잎이 손바닥 모양인가?
④ 잎자루에 잎이 한 장인가?
⑤ 잎의 모양이 가늘고 길쭉한가?

들이나 산에서 사는 식물

탐구로 시작하기 들이나 산에서 사는 식물의 생김새와 특징 조사하기

과정 및 결과

1 들이나 산에는 어떤 식물이 살고 있는지 이야기해 봅시다.

➔ 토끼풀, 명아주, 싸리, 밤나무, 소나무, 단풍나무 등이 삽니다.

2 들이나 산에서 사는 식물의 생김새와 특징을 조사해 봅시다.

토끼풀

생김새 작은 잎이 세 개씩 붙어 있습니다. 줄기는 부드러우며 초록색입니다.

특징 땅에 뿌리를 내리며, 줄기가 땅을 기며 자랍니다. ⊕여러해살이 식물입니다.

⊕ **여러해살이 식물** 여러 해 동안 죽지 않고 사는 식물

명아주

생김새 잎은 삼각형 또는 달걀 모양이며, 잎의 가장자리가 톱니 모양입니다.

특징 땅에 뿌리를 내리며, 줄기가 곧게 자랍니다. ⊕한해살이 식물입니다.

⊕ **한해살이 식물** 한 해 동안 한살이를 마치고 죽는 식물

싸리

생김새 달걀 모양의 잎이 세 개씩 붙어 있고, 자주색을 띤 붉은색 꽃이 핍니다.

특징 땅에 뿌리를 내리며, 나무 줄기가 ⊕밑동부터 갈라져 위로 곧게 자랍니다. 여러해살이 식물입니다.

⊕ **밑동** 나무 줄기에서 뿌리에 가까운 부분

밤나무

생김새 잎이 길쭉하고 끝이 뾰족하며, 잎의 가장자리가 톱니 모양입니다. 키가 크고 줄기가 단단합니다.

특징 땅에 뿌리를 내리며, 줄기가 위로 높이 자랍니다. 여러해살이 식물입니다.

정리

들이나 산에서 사는 식물은 어떤 특징이 있을까요?

➔ 뿌리, 줄기, 잎이 구분됩니다.

➔ 땅에 뿌리를 내립니다.

개념 이해하기

1 들이나 산에서 사는 식물

들이나 산에서 사는 식물은 크게 풀과 나무로 구분할 수 있습니다.

① 풀

이름	사진	특징
강아지풀		• 잎은 가늘고 길쭉하며, 끝이 뾰족합니다. • 잎맥이 나란합니다. • 뿌리는 수염 모양입니다. • 꽃은 초록색이고, 꽃이 모여 핀 모습이 강아지 꼬리 모양입니다. • 한해살이 식물입니다.
닭의장풀		• 잎은 긴 달걀 모양이며, 잎 아래쪽은 잎이 줄기를 감싸고 있습니다. • 뿌리는 수염 모양입니다. • 한해살이 식물입니다.
민들레		• 꽃은 노란색이고, 여러 개의 꽃이 모여 전체 꽃을 이룹니다. • 잎이 한곳에서 뭉쳐납니다. • 여러해살이 식물입니다.

풀은 겨울이 되면 줄기 부분이 말라 없어져요. 풀의 뿌리 부분이 살아 있는 기간에 따라 한해살이 식물, 여러해살이 식물로 구분되지요.

② 나무

이름	사진	특징
소나무		• 잎은 바늘 모양이며, 한곳에 두 개씩 뭉쳐납니다. • 겨울에도 잎이 초록색을 유지합니다. • 줄기가 굵고 단단합니다. • 키가 큽니다. → 키는 20 m~35 m 정도입니다. • 여러해살이 식물입니다.
단풍나무		• 잎은 손바닥 모양으로 갈라져 있습니다. • 잎의 가장자리가 톱니 모양입니다. • 가을이 되면 잎이 붉게 물듭니다. • 키가 큽니다. → 키는 10 m 정도입니다. • 여러해살이 식물입니다.
떡갈나무		• 잎은 전체적으로 끝이 더 넓은 달걀 모양입니다. • 잎의 가장자리가 물결 모양입니다. • 줄기가 굵고 땅에 뿌리를 튼튼하게 내리고 있습니다. • 키가 큽니다. • 여러해살이 식물입니다.

2 풀과 나무의 공통점과 차이점

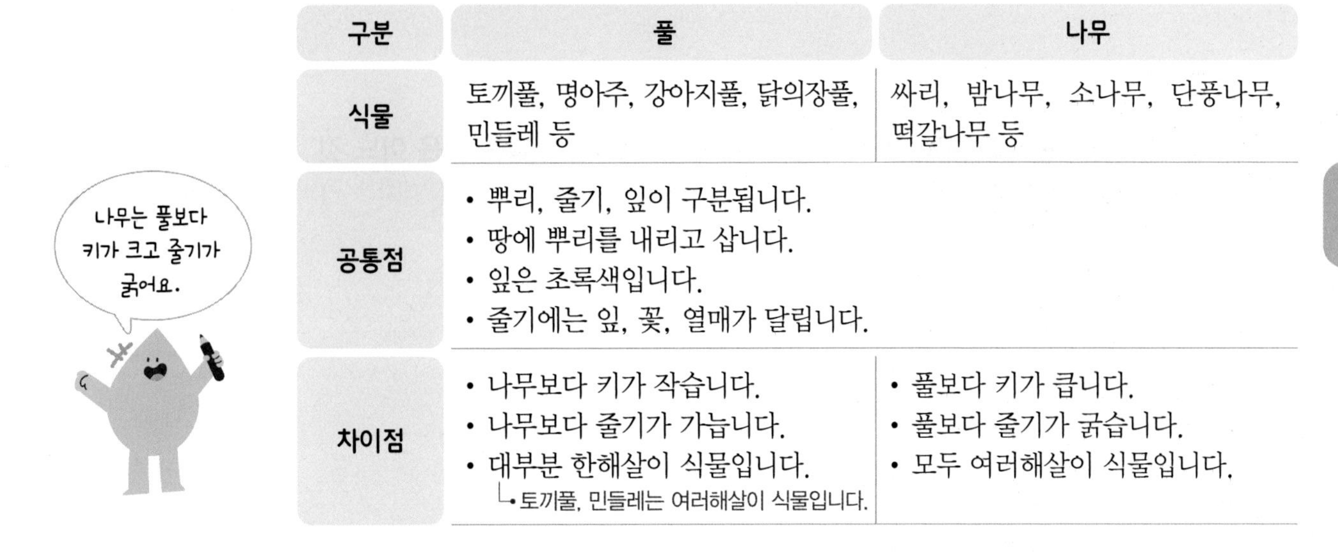

구분	풀	나무
식물	토끼풀, 명아주, 강아지풀, 닭의장풀, 민들레 등	싸리, 밤나무, 소나무, 단풍나무, 떡갈나무 등
공통점	• 뿌리, 줄기, 잎이 구분됩니다. • 땅에 뿌리를 내리고 삽니다. • 잎은 초록색입니다. • 줄기에는 잎, 꽃, 열매가 달립니다.	
차이점	• 나무보다 키가 작습니다. • 나무보다 줄기가 가늡니다. • 대부분 한해살이 식물입니다. └• 토끼풀, 민들레는 여러해살이 식물입니다.	• 풀보다 키가 큽니다. • 풀보다 줄기가 굵습니다. • 모두 여러해살이 식물입니다.

3 들이나 산에서 사는 식물의 특징

들이나 산에서 사는 식물은 대부분 뿌리, 줄기, 잎이 구분되며, 땅에 뿌리를 내리고 삽니다.

핵심 개념 확인하기

정답과 해설 • 2쪽

✔ 들이나 산에서 사는 식물: 풀과 나무로 구분할 수 있습니다.

강아지풀, 소나무, 닭의장풀, 단풍나무, 떡갈나무, 민들레

풀	❶ ☐☐☐☐, 닭의장풀, 민들레
나무	❷ ☐☐☐, 단풍나무, 떡갈나무

✔ 풀과 나무의 공통점과 차이점

구분	풀	나무
공통점	• 뿌리, ❸ ☐☐, 잎이 구분됩니다. • 땅에 ❹ ☐☐를 내리고 삽니다. • 잎은 초록색입니다. • 줄기에는 잎, 꽃, 열매가 달립니다.	
차이점	• 나무보다 키가 작습니다. • 나무보다 줄기가 가늡니다. • 대부분 한해살이 식물입니다.	• 풀보다 키가 ❺ ☐니다. • 풀보다 줄기가 ❻ ☐습니다. • 모두 여러해살이 식물입니다.

문제로 완성하기

들이나 산에서 사는 식물

1 오른쪽 강아지풀에 대한 설명으로 옳지 않은 것은 어느 것입니까? (　　　)

① 잎맥이 나란하다.
② 여러해살이 식물이다.
③ 잎이 가늘고 길쭉하다.
④ 줄기와 뿌리가 가늘다.
⑤ 꽃이 모여 핀 모습이 강아지 꼬리 모양이다.

2~3 다음은 들이나 산에서 사는 식물입니다.

▲ 토끼풀 ▲ 소나무 ▲ 민들레
▲ 단풍나무 ▲ 명아주 ▲ 밤나무

2 위 식물을 풀과 나무로 분류하여 각각 기호를 써 봅시다.

(1) 풀: (　　　　　　　　　) (2) 나무: (　　　　　　　　　)

3 위 식물 중 다음과 같은 특징이 있는 식물을 골라 기호를 써 봅시다.

- 줄기가 굵고 단단하다.
- 겨울에도 잎이 초록색을 유지한다.
- 잎은 바늘 모양이며, 한곳에 두 개씩 뭉쳐난다.

(　　　　　　　)

풀과 나무의 공통점과 차이점

4 **다음 두 식물의 공통점으로 옳은 것은 어느 것입니까?** ( )

▲ 닭의장풀

▲ 떡갈나무

① 키가 크다.
② 줄기가 굵다.
③ 한해살이 식물이다.
④ 여러해살이 식물이다.
⑤ 뿌리, 줄기, 잎이 구분된다.

5 **들이나 산에서 사는 식물을 다음과 같이 분류할 때, (가)와 (나)를 옳게 비교한 것은 어느 것입니까?** ( )

(가)	(나)
토끼풀, 명아주	소나무, 단풍나무

① (가)는 나무, (나)는 풀이다.
② (가)는 (나)보다 키가 크다.
③ (가)는 (나)보다 줄기가 굵다.
④ (가)는 물속에 뿌리를 내리고, (나)는 땅속에 뿌리를 내린다.
⑤ (가)는 대부분 한해살이 식물이고, (나)는 모두 여러해살이 식물이다.

들이나 산에서 사는 식물의 특징

6 **들이나 산에서 사는 식물의 공통적인 특징으로 옳지 않은 것을 보기 에서 골라 기호를 써 봅시다.**

보기
㉠ 꽃이 피지 않는다.
㉡ 땅에 뿌리를 내리고 산다.
㉢ 뿌리, 줄기, 잎이 구분된다.
㉣ 줄기에는 잎, 꽃, 열매가 달린다.

( )

강이나 연못에서 사는 식물

탐구로 시작하기 부레옥잠 관찰하기

과정 및 결과

실험 동영상

1 부레옥잠의 겉모양을 관찰해 봅시다.

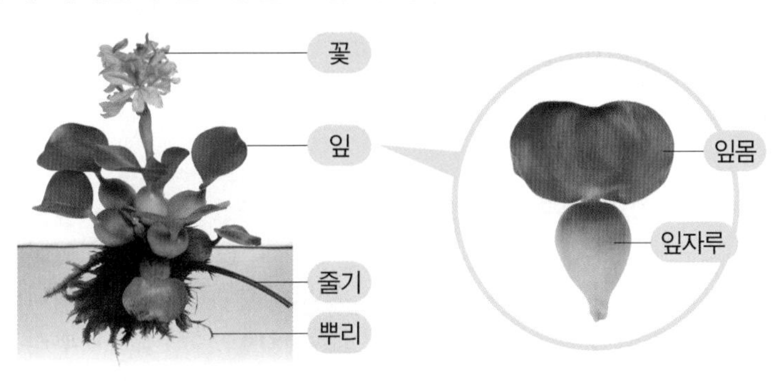

부레옥잠은 초록색 잎이 물 위에 떠 있고, 수염처럼 생긴 뿌리가 물속에 있어요.

➜ 잎몸은 둥근 모양이고, 잎자루가 볼록하게 부풀어 있습니다.
➜ 뿌리가 수염처럼 생겼습니다.

2 부레옥잠의 잎자루를 가로와 세로로 잘라 자른 면을 돋보기로 관찰해 봅시다.

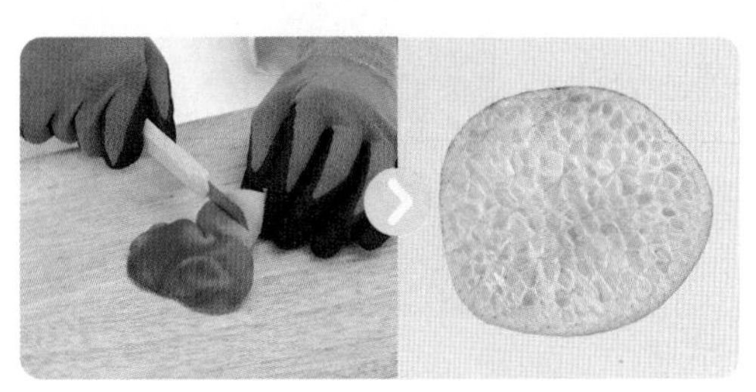

▲ 잎자루를 가로로 자른 모습

➜ 구멍이 많이 있습니다.

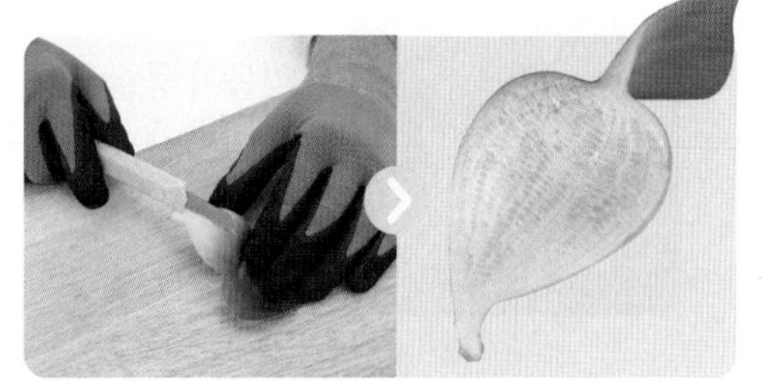

▲ 잎자루를 세로로 자른 모습

➜ 공기구멍이 연결되어 있습니다.

3 자른 부레옥잠의 잎자루를 물속에 넣고 손가락으로 누르면 어떤 현상이 나타나는지 관찰해 봅시다.

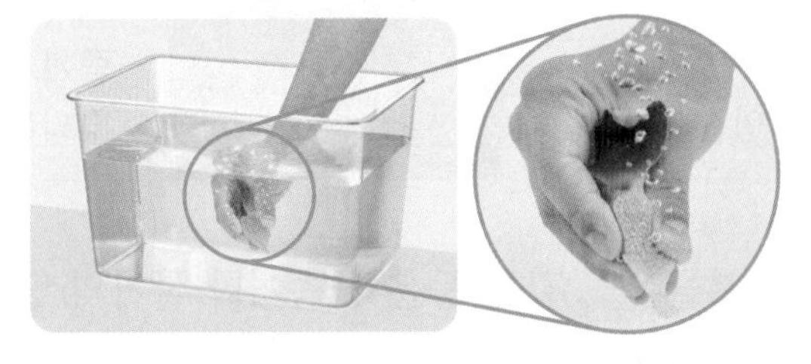

부레옥잠의 잎에는 공기가 들어 있어서 부레옥잠의 잎을 물속에 넣고 손을 떼면 부레옥잠이 물 위로 떠오르지요.

➜ 잎자루에서 공기 방울이 나와 위로 올라갑니다.
➜ 부레옥잠의 볼록한 잎자루에는 공기가 들어 있다는 것을 알 수 있습니다.

정리

부레옥잠이 물에 떠서 살 수 있는 까닭은 무엇일까요?

➜ 부레옥잠은 잎자루의 공기주머니에 공기가 들어 있기 때문에 물에 떠서 살 수 있습니다.

개념 이해하기

1 강이나 연못에서 사는 식물

① 물속에 잠겨서 사는 식물: 검정말, 나사말, 붕어마름, 물질경이 등은 물속에 잠겨서 살며, 물의 흐름에 따라 잘 휘어집니다.

검정말

- 잎은 좁고 길며 끝부분이 뾰족합니다.
- 줄기가 가늡니다.
- 뿌리는 물속의 땅에 있습니다.

나사말

- 잎은 좁고 길며 ⊕반투명합니다.
- 잎이 물의 흐름에 따라 잘 휘어집니다.
- 뿌리는 물속의 땅에 있습니다.

⊕ **반투명** 어떤 물체를 통하여 볼 때 그 반대쪽이 흐릿하게 보이는 성질

② 물에 떠서 사는 식물: 부레옥잠, 개구리밥, 생이가래, 물상추 등은 물에 떠서 살며, 수염처럼 생긴 뿌리가 물속에 뻗어 있습니다.

부레옥잠

- 잎몸이 둥글고, 잎자루에는 공기주머니가 있습니다.
- 수염 모양의 뿌리가 물속에 있습니다.

└→ 줄기는 옆으로 뻗으며 자라고 보라색 꽃이 핍니다.

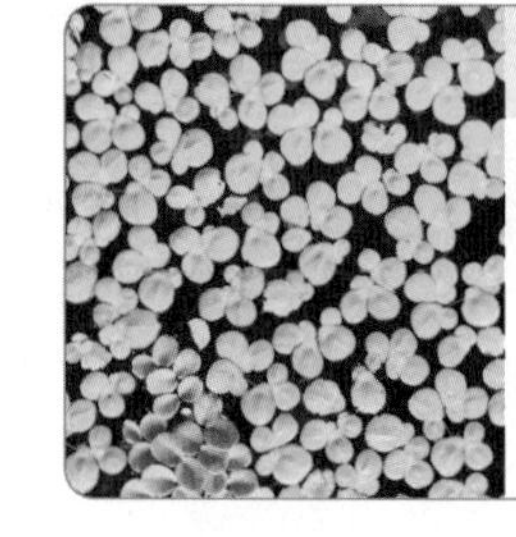

개구리밥

- 잎이 작고 둥근 모양입니다.
- 수염 모양의 뿌리가 물속에 있습니다.

③ 잎이 물에 떠 있는 식물: 수련, 마름, 자라풀, 가래, 순채 등은 물속의 땅에 뿌리를 내리고, 잎과 꽃이 물 위에 떠 있습니다.

수련

- 잎이 넓고 둥글며 잎자루가 깁니다.
- 뿌리는 물속의 땅에 있고, 잎과 꽃이 물 위에 떠 있습니다.

마름

- 잎은 마름모 모양이며, 잎자루에 공기주머니가 있습니다.
- 줄기가 가늘고 깁니다.
- 뿌리는 물속의 땅에 있습니다.

④ 잎이 물 위로 높이 자라는 식물: 연꽃, 부들, 줄, 갈대 등은 물속이나 물가의 땅에 뿌리를 내리고, 잎이 물 위로 높이 자랍니다.

연꽃

- 뿌리와 줄기는 물속의 땅에 있고, 잎과 꽃이 물 위로 자랍니다.
- 줄기에 공기구멍이 있습니다.

부들

- 잎이 좁고 길며, 이삭 모양의 꽃이 핍니다.
- 줄기에 공기구멍이 있습니다.
- 뿌리는 물속이나 물가의 땅에 있고, 잎이 물 위로 자랍니다.

➜ 식물은 사는 곳의 환경에 알맞은 생김새와 생활 방식으로 살아갑니다.

2 적응

생물이 오랜 기간에 걸쳐 사는 곳의 환경에 알맞은 생김새와 생활 방식을 갖게 되는 것입니다.

3 물에서 사는 식물이 환경에 적응하여 나타나는 특징

물속에 잠겨서 사는 식물	물에 떠서 사는 식물	잎이 물에 떠 있는 식물	잎이 물 위로 높이 자라는 식물
• 대부분 잎이 좁고 깁니다. • 줄기와 잎이 물의 흐름에 따라 잘 휘어집니다. • 뿌리는 물속의 땅에 있습니다.	• 잎에 공기주머니가 있거나 잎이 넓어서 물에 뜰 수 있습니다. • 수염 모양의 뿌리가 물속에 있습니다.	• 잎과 꽃이 물 위에 떠 있습니다. • 잎자루나 줄기가 깁니다. • 뿌리는 물속의 땅에 있습니다.	• 잎이 물 위로 높이 자랍니다. • 줄기가 단단하며 키가 크게 자랍니다. • 뿌리는 물속이나 물가의 땅에 있습니다.

핵심 개념 확인하기

정답과 해설 • 2쪽

강이나 연못에서 사는 식물

마름, 검정말, 수련, 개구리밥, 부들, 나사말, 부레옥잠, 연꽃

물속에 잠겨서 사는 식물	검정말, ❶ ☐☐☐
물에 떠서 사는 식물	개구리밥, ❷ ☐☐☐☐
잎이 물에 떠 있는 식물	마름, ❸ ☐☐
잎이 물 위로 높이 자라는 식물	부들, ❹ ☐☐

물에서 사는 식물이 환경에 적응하여 나타나는 특징

물속에 잠겨서 사는 식물	줄기와 잎이 물의 흐름에 따라 잘 ❺ ☐☐ 집니다.
물에 떠서 사는 식물	잎에 ❻ ☐☐☐☐☐ 가 있거나 잎이 넓어서 물에 뜰 수 있습니다.
잎이 물에 떠 있는 식물	잎이 넓고 잎자루나 줄기가 깁니다.
잎이 물 위로 높이 자라는 식물	줄기가 단단하며 키가 크게 자랍니다.

문제로 완성하기

1~2 세로로 자른 부레옥잠의 잎자루를 오른쪽과 같이 물속에 넣고 손가락으로 눌렀습니다.

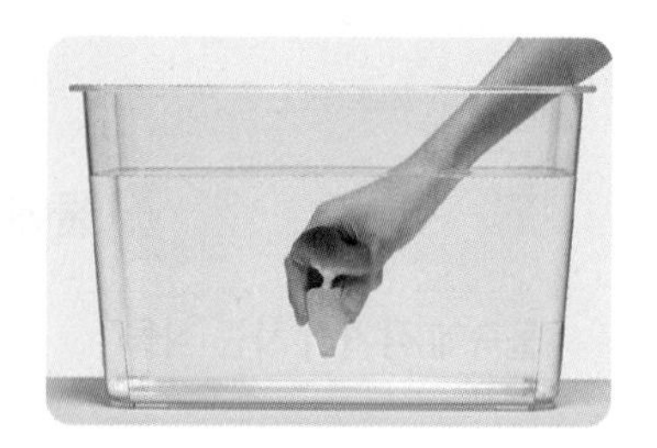

부레옥잠 관찰하기

1 위 실험 결과 나타나는 현상으로 옳은 것은 어느 것입니까? ( )

① 잎자루가 부서진다.
② 잎자루가 부풀어 오른다.
③ 잎자루에서 물이 나온다.
④ 잎자루에서 기름이 나온다.
⑤ 잎자루에서 공기 방울이 나와 위로 올라간다.

2 위 실험 결과 알 수 있는 부레옥잠의 특징을 보기 에서 골라 기호를 써 봅시다.

보기
㉠ 잎자루가 가늘어서 물속에 잠겨서 살 수 있다.
㉡ 잎자루에 공기가 들어 있어 물에 떠서 살 수 있다.
㉢ 잎자루에 물이 저장되어 있어 물이 없는 환경에서 살 수 있다.

( )

적용

3 다음 ( ) 안에 공통으로 들어갈 알맞은 말을 써 봅시다.

- 생물이 오랜 기간에 걸쳐 사는 곳의 환경에 알맞은 생김새와 생활 방식을 갖게 되는 것을 ( )(이)라고 한다.
- 식물은 사는 곳의 환경에 ( )하여 환경에 알맞은 생김새와 생활 방식으로 살아간다.

( )

4~5 다음은 강이나 연못에서 사는 식물입니다.

▲ 수련 ▲ 부레옥잠 ▲ 연꽃
▲ 검정말 ▲ 개구리밥 ▲ 부들

강이나 연못에서 사는 식물

4 위 식물 중 잎이 물 위로 높이 자라는 식물을 모두 골라 기호를 써 봅시다.

( )

5 위 식물 중 다음과 같은 특징이 있는 식물을 골라 기호를 써 봅시다.

- 수염 모양의 뿌리가 있다.
- 잎몸이 둥글고, 잎자루가 볼록하게 부풀어 있는 모양이다.
- 줄기는 옆으로 뻗으며 자라고 보라색 꽃이 핀다.

( )

물에서 사는 식물이 환경에 적응하여 나타나는 특징

6 오른쪽 나사말과 같이 물에 잠겨서 사는 식물이 환경에 적응한 특징으로 옳은 것은 어느 것입니까? ( )

① 뿌리가 물에 뜬다.
② 잎이 넓고 둥글다.
③ 키가 크고 줄기가 단단하다.
④ 줄기와 잎이 물의 흐름에 따라 잘 휘어진다.
⑤ 공기를 저장할 수 있는 공기주머니를 가지고 있다.

사막이나 극지방에서 사는 식물

탐구로 시작하기 선인장 관찰하기

1 선인장의 겉모양을 관찰해 봅시다.

➜ 잎이 가시 모양입니다.
➜ 줄기가 굵고 통통합니다.
➜ 줄기의 색깔은 초록색입니다.

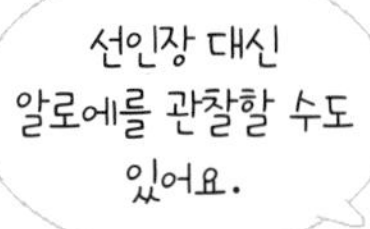

2 선인장의 줄기를 가로로 잘라 자른 면을 관찰해 봅시다.

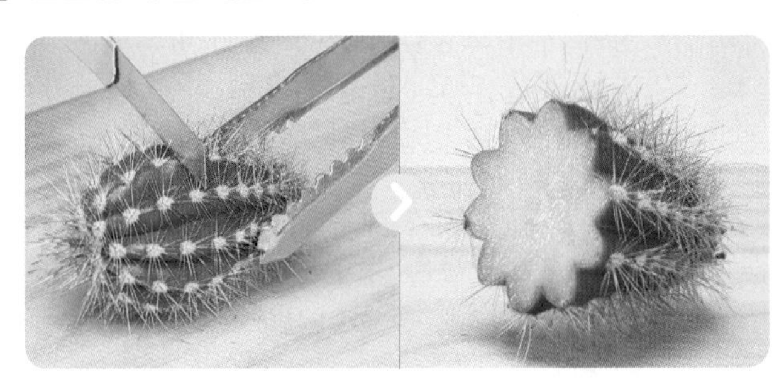

➜ 줄기를 자른 면에 물기가 있습니다.
➜ 줄기를 자른 면이 미끄럽고 축축합니다.

3 선인장 줄기를 자른 면에 화장지를 대어 보고, 화장지가 어떻게 되는지 관찰해 봅시다.

➜ 선인장 줄기에 있던 물이 화장지에 스며들어 화장지에 물이 묻어 나옵니다.
➜ 선인장 줄기에 물이 있다는 것을 알 수 있습니다.

정리

선인장이 물이 부족한 사막에서 살 수 있는 까닭은 무엇일까요?
➜ 굵은 줄기에 물을 저장하고 있어서 물이 부족한 사막에서 살 수 있습니다.
➜ 잎이 가시 모양이어서 물이 밖으로 빠져나가는 것을 막을 수 있습니다.

개념 이해하기

1 사막에서 사는 식물

① 사막의 환경: 물이 적은 환경입니다.
- 햇빛이 강하고 물이 부족합니다.
- 비가 잘 오지 않고, 건조합니다.
- 모래가 많습니다.

⊕ **사막** 비가 잘 오지 않아 식물 등이 살기 어려운 지역

사막

② 사막에서 사는 식물: 기둥선인장, 금호선인장, 바오바브나무, 용설란, 알로에, 리돕스, 대추야자 등은 사막에서 삽니다.

선인장	 금호선인장	• 줄기가 굵습니다. • 굵은 줄기에 물을 저장합니다. • 잎이 가시 모양입니다. ➔ 물이 밖으로 빠져나가는 것을 막고, 물을 필요로 하는 동물의 공격을 막을 수 있습니다.
바오바브나무		• 키가 크고 줄기가 매우 굵습니다. • 굵은 줄기에 물을 많이 저장합니다. • 잎이 작습니다. ➔ 물이 밖으로 빠져나가는 것을 막습니다. • 건조할 때는 잎을 떨어뜨립니다.
용설란		• 잎이 두껍습니다. • 두꺼운 잎에 물을 저장합니다. • 잎의 가장자리에 날카로운 가시가 있습니다.
리돕스		• 잎이 매우 두껍습니다. • 두꺼운 잎에 물을 저장합니다.

기둥선인장

③ 사막에서 사는 식물의 특징
- 줄기나 잎에 물을 저장하여 줄기가 굵거나 잎이 두껍습니다.
- 잎이 작거나 뾰족하여 물이 밖으로 빠져나가는 것을 막습니다.
- 뾰족한 잎이 있어 물을 필요로 하는 동물의 공격을 막을 수 있습니다.

➔ 사막에서 사는 식물의 생김새와 생활 방식은 물이 적은 사막의 환경에 적응한 결과입니다.

2 ⊕극지방에서 사는 식물

극지방

① 극지방의 환경: 추운 환경입니다.

- 온도가 매우 낮습니다.
- 바람이 많이 붑니다.

⊕ **극지방** 남극 지역과 북극 지역을 모두 이르는 말

04 일차

② 극지방에서 사는 식물: 남극구슬이끼, 남극좀새풀, 북극버들, 북극이끼장구채 등은 극지방에서 삽니다.

남극에서 사는 식물	북극에서 사는 식물
남극구슬이끼, 남극좀새풀, 남극개미지리 등	북극버들, 북극이끼장구채, 북극다람쥐꼬리 등

▲ 남극구슬이끼

▲ 남극좀새풀

▲ 북극버들

▲ 북극이끼장구채

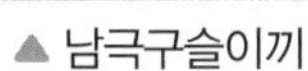

→ 잎이 좁고 길쭉합니다. 줄기는 모여서 나고 키가 작습니다.

③ 극지방에서 사는 식물의 특징

- 키가 작아서 추위와 강한 바람의 영향을 적게 받습니다.
- 뿌리를 얕게 내립니다. → 땅이 얼어 있기 때문에 뿌리를 땅속 깊이 내리지 못합니다.
- 서로 뭉쳐납니다.

➔ 극지방에서 사는 식물의 생김새와 생활 방식은 춥고 바람이 많이 부는 극지방의 환경에 적응한 결과입니다.

핵심 개념 확인하기

정답과 해설 ● 3쪽

✔ 사막에서 사는 식물

식물	기둥선인장, 금호선인장, ❶ ☐☐☐☐ 나무, 용설란, 리돕스 등
특징	• 줄기가 굵거나 잎이 두껍습니다. ➔ 줄기나 잎에 ❷ ☐ 을 저장하기 때문입니다. • ❸ ☐ 이 작거나 뾰족합니다. ➔ 물이 밖으로 빠져나가는 것을 막고, 동물의 공격을 막을 수 있습니다.

✔ 극지방에서 사는 식물

식물	남극구슬이끼, 남극좀새풀, 북극버들, 북극이끼장구채
특징	• 키가 ❹ ☐ 습니다. ➔ 추위와 강한 바람의 영향을 적게 받습니다. • 뿌리를 얕게 내립니다. • 서로 뭉쳐납니다.

문제로 완성하기

1~2 다음은 선인장의 겉모양과 자른 면을 나타낸 것입니다.

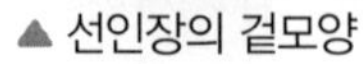
▲ 선인장의 겉모양

▲ 선인장의 자른 면

선인장 관찰하기

1 **위 선인장의 겉모양과 자른 면을 관찰한 결과로 옳지 않은 것은 어느 것입니까?** ( )

① 줄기가 굵다.
② 잎이 가시 모양이다.
③ 줄기를 자른 면이 미끄럽고 축축하다.
④ 줄기를 자른 면이 건조하고 말라 있다.
⑤ 줄기를 자른 면에 화장지를 대어 보면 화장지에 물이 묻어 나온다.

2 **위 결과를 통해 알 수 있는 선인장의 특징을 설명한 것입니다. ( ) 안에 알맞은 말을 써 봅시다.**

선인장은 굵은 줄기에 ( )을/를 저장하고 있어서 물이 부족한 사막에서 살 수 있다.

( )

사막에서 사는 식물

3 **오른쪽 금호선인장이 사는 곳의 환경으로 옳지 않은 것은 어느 것입니까?** ( )

① 건조하다.
② 물이 적다.
③ 모래가 많다.
④ 햇빛이 강하다.
⑤ 비가 자주 온다.

4 사막에서 사는 식물을 두 가지 골라 써 봅시다. (,)

① 
▲ 용설란

② 
▲ 남극구슬이끼

③ 
▲ 바오바브나무

④ 
▲ 북극이끼장구채

⑤ 
▲ 소나무

5 바오바브나무가 사막 환경에 적응한 결과 생긴 특징으로 옳은 것은 어느 것입니까? ( )

① 뿌리가 없다.
② 줄기에 공기주머니가 있다.
③ 크고 두꺼운 잎을 가지고 있다.
④ 들이나 산에서 사는 나무보다 잎이 많다.
⑤ 키가 크고 줄기가 굵어서 줄기에 물을 많이 저장할 수 있다.

극지방에서 사는 식물

6 극지방의 환경과 극지방에서 사는 식물을 옳게 설명한 것을 보기 에서 골라 기호를 써 봅시다.

보기
㉠ 극지방은 온도가 매우 낮고 바람이 많이 분다.
㉡ 극지방에는 리돕스, 남극좀새풀이 살고 있다.
㉢ 극지방에서 사는 식물은 대부분 키가 크다.

( )

05일차

식물의 특징을 활용한 예

찍찍이 테이프는 도꼬마리 열매의
어떤 특징을 활용한 것일까요?
식물의 특징을 우리
생활에 활용한 예에는
어떤 것이 있을까요?

탐구로 시작하기 식물의 특징을 생활에 활용한 예 조사하기

과정 및 결과

실험 동영상

1 핀셋으로 도꼬마리 열매를 부직포에 붙였다가 떼어 봅시다.

2 찍찍이 테이프를 붙였다가 떼어 봅시다.

도꼬마리 열매를 부직포에 붙였다가 떼었을 때	찍찍이 테이프를 붙였다가 떼었을 때
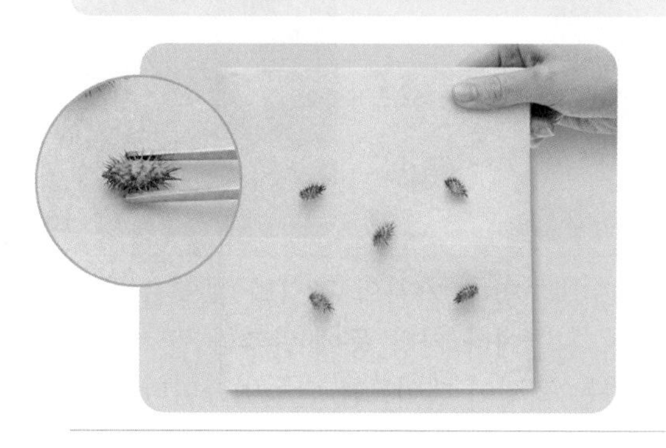	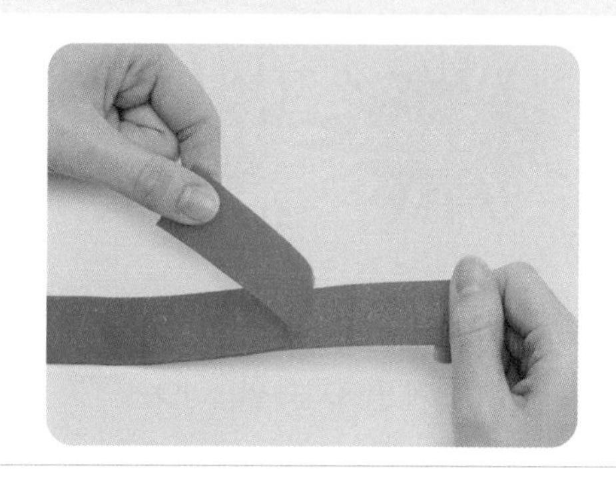
도꼬마리 열매가 부직포에 잘 붙고 쉽게 떨어지지 않습니다.	찍찍이 테이프가 잘 붙고 쉽게 떨어지지 않습니다.

3 돋보기를 사용하여 도꼬마리 열매와 찍찍이 테이프를 관찰해 봅시다.

도꼬마리 열매	찍찍이 테이프
	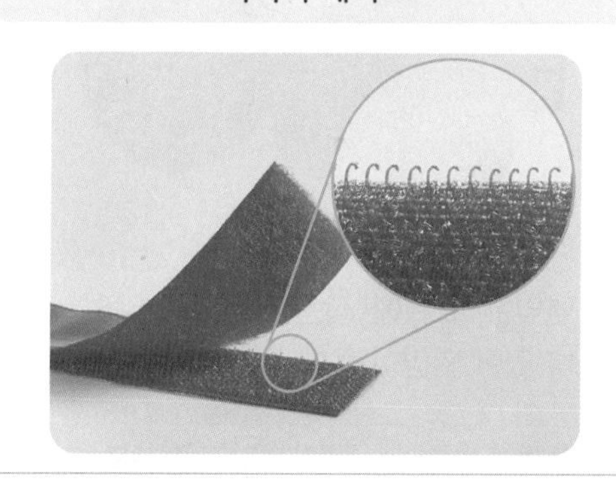
가시가 많고 가시 끝이 ➕갈고리처럼 휘어 있습니다. ➕ **갈고리** 끝이 뾰족하고 꼬부라진 물건	표면에 갈고리처럼 휘어 있는 부분이 많이 있습니다.

4 도꼬마리 열매와 찍찍이 테이프는 어떤 공통점이 있는지 이야기해 봅시다.

➔ 도꼬마리 열매와 찍찍이 테이프는 모두 잘 붙고 쉽게 떨어지지 않으며, 갈고리처럼 생긴 부분이 있습니다.

정리

찍찍이 테이프는 도꼬마리 열매의 어떤 특징을 활용하여 만든 것일까요?

➔ 도꼬마리 열매의 가시 끝이 갈고리 모양으로 휘어 있어 천에 붙으면 잘 떨어지지 않는 특징을 활용하여 찍찍이 테이프를 만들었습니다.

개념 이해하기

1 식물의 특징을 우리 생활에 활용한 예

식물의 특징은 우리 생활 속에서 다양하게 활용되고 있습니다.

우엉 열매로 설명하기도 합니다.

도꼬마리 열매

가시 끝이 갈고리처럼 휘어 있어 천에 잘 붙고 쉽게 떨어지지 않습니다.

찍찍이 테이프

도꼬마리 열매 가시의 갈고리 모양을 ⊕모방하여 신발이나 가방 등에 단추나 끈 대신 사용하는 찍찍이 테이프를 만들었습니다.

⊕ **모방** 다른 것을 본뜬 것

우엉 열매도 가시 끝이 갈고리처럼 휘어 있어 천에 잘 붙어요.

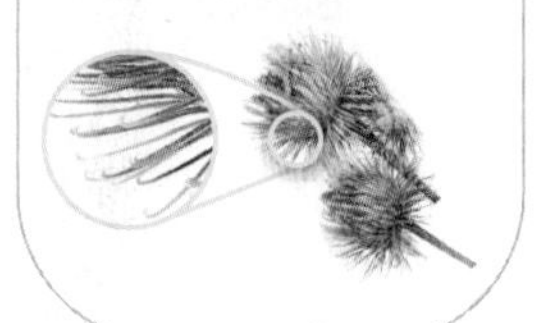

연잎

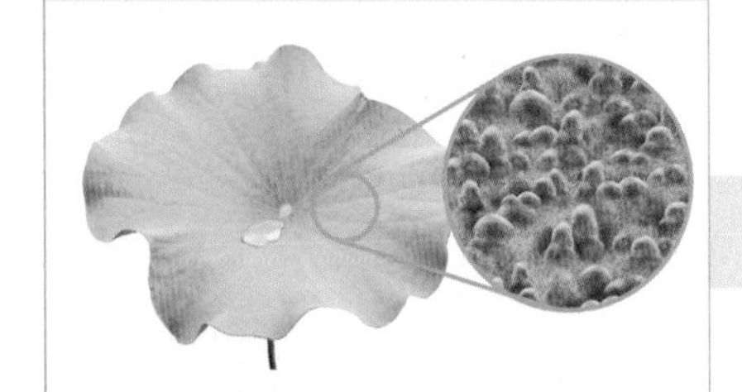

연잎은 표면에 작은 ⊕돌기가 많이 나 있어 연잎이 물에 젖지 않습니다.

⊕ **돌기** 뾰족하게 내밀거나 도드라진 부분

유리 코팅제 | **물이 스며들지 않는 옷감**

연잎 표면의 작은 돌기를 모방하여 빗방울이 금방 굴러떨어지는 유리 코팅제, 물이 스며들지 않는 옷감을 만들었습니다.

유리 코팅제를 창문의 유리에 뿌리면 빗방울이 금방 굴러떨어지지요.

단풍나무 열매

단풍나무 열매는 바람을 타고 빙글빙글 돌면서 멀리 날아갑니다.

바람을 타고 회전하는 드론 | **헬리콥터의 프로펠러** | **날개가 하나인 선풍기**

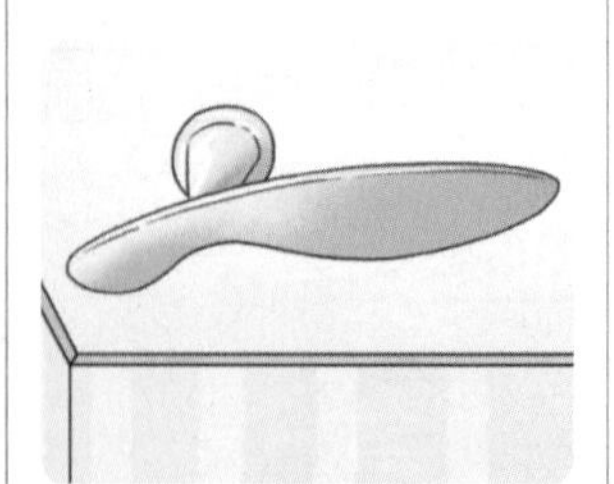

단풍나무 열매의 생김새를 모방하여 바람을 타고 회전하는 드론, 헬리콥터의 프로펠러, 날개가 하나인 선풍기를 만들었습니다.

장미 덩굴의 가시

가시철조망

장미 덩굴의 가시를 모방하여 가축이 울타리를 넘지 못하게 하는 가시철조망을 만들었습니다.

가시철조망 가시가 달린 철선을 따라 그물 모양으로 엮어 놓은 물건. 또는 그것을 둘러친 울타리

나뭇가지

태양 전지판 나무

나뭇가지가 뻗은 모양을 모방하여 햇빛을 효율적으로 받을 수 있는 태양 전지판 나무를 만들었습니다.

태양 전지판은 태양으로부터 오는 에너지를 전기 에너지로 바꿔 줍니다.

비로야자

주름 캔

비로야자의 주름을 모방하여 잘 찌그러지지 않는 튼튼한 주름 캔을 만들었습니다.

05 일차

핵심 개념 확인하기

정답과 해설 • 3쪽

식물의 특징을 우리 생활에 활용한 예

식물	식물의 특징	생활에 활용한 예
도꼬마리 열매	천에 잘 붙습니다.	❶ □□□ □□□
❷ □□	물에 젖지 않습니다.	유리 코팅제, 물이 스며들지 않는 옷감
❸ □□□□ 열매	바람을 타고 회전합니다.	바람을 타고 회전하는 드론, 헬리콥터의 프로펠러, 날개가 하나인 선풍기
장미 덩굴	❹ □□가 있습니다.	가시철조망
나뭇가지	햇빛을 향해 뻗어 있습니다.	태양 전지판 나무
비로야자	주름이 있습니다.	주름 캔

문제로 완성하기

도꼬마리 열매의 특징

1 **오른쪽 도꼬마리 열매의 특징으로 옳은 것을 두 가지 골라 써 봅시다.** (,)

① 물에 잘 가라앉는다.
② 천에 잘 달라붙는다.
③ 열매가 바람에 잘 날아간다.
④ 가시 끝이 갈고리처럼 휘어 있다.
⑤ 돌기가 많이 나 있어 물에 젖지 않는다.

도꼬마리 열매의 특징을 활용한 예

2 **도꼬마리 열매의 특징을 우리 생활에 활용한 예를 보기 에서 골라 기호를 써 봅시다.**

보기

㉠ ▲ 물이 스며들지 않는 옷감
㉡ ▲ 찍찍이 테이프
㉢ ▲ 바람을 타고 회전하는 드론

( )

연잎의 특징을 활용한 예

3 **오른쪽 연잎의 특징을 우리 생활에 활용한 예를 보기 에서 골라 기호를 써 봅시다.**

보기

㉠ 유리 코팅제
㉡ 해충 퇴치제
㉢ 날개가 하나인 선풍기

( )

▶ 단풍나무 열매의 특징을 활용한 예

4 **오른쪽 헬리콥터의 프로펠러는 단풍나무 열매의 어떤 특징을 활용한 것인지 보기 에서 골라 기호를 써 봅시다.**

보기

㉠ 물에 젖지 않는 특징
㉡ 털이나 옷에 잘 붙는 특징
㉢ 열매가 떨어지면서 회전하는 특징
㉣ 열매가 가벼워 멀리 날아갈 수 있는 특징

( )

▶ 식물의 특징을 활용한 예

5 **오른쪽 가시철조망은 어떤 식물의 특징을 활용하여 만든 것입니까?** ( )

① 
▲ 부레옥잠

② 
▲ 소나무 잎

③ 
▲ 장미 가시

④ 
▲ 도꼬마리 열매

⑤ 
▲ 민들레씨

6 **식물의 생김새나 특징을 우리 생활에 활용한 예를 옳게 짝 지은 것은 어느 것입니까?** ( )

① 연잎 – 주름 캔
② 나뭇가지 – 태양 전지판 나무
③ 단풍나무 열매 – 찍찍이 테이프
④ 비로야자 – 바람을 타고 회전하는 드론
⑤ 선인장 줄기 – 물이 스며들지 않는 옷감

스스로 정리하기

특별 부록 

정답과 해설 • 4쪽

다음에서 밑줄에 들어갈 문장을 골라 써서 생각 그물을 완성해 보세요.

- 잎의 모양이 가늘고 길쭉한가?
- 잎의 가장자리가 톱니 모양인가?
- 찍찍이 테이프를 만들었다.
- 물이 스며들지 않는 옷감을 만들었다.
- 물에 떠서 사는 식물
- 잎이 물 위에 떠 있는 식물
- 줄기나 잎에 물을 저장한다.
- 뿌리, 줄기, 잎이 구분되며, 땅에 뿌리를 내린다.

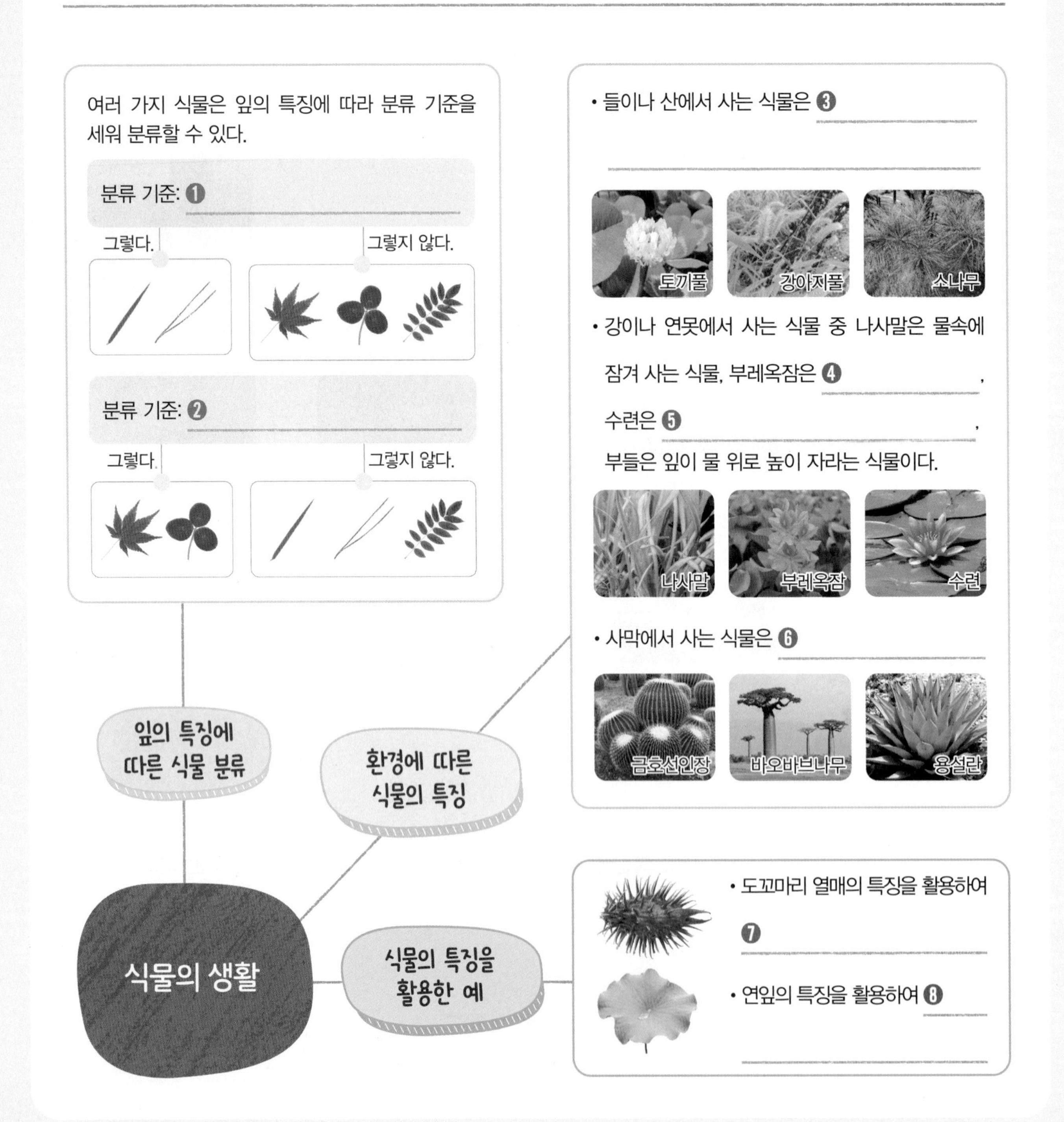

단원 평가하기

(맞은 개수 개)

정답과 해설 • 4쪽

1 오른쪽 강아지풀 잎을 관찰한 것으로 옳지 않은 것은 어느 것입니까? ( )

① 잎에 털이 있다.
② 잎맥이 나란하다.
③ 잎의 끝이 뾰족하다.
④ 잎이 가늘고 길쭉하다.
⑤ 잎의 가장자리가 톱니 모양이다.

2~3 다음은 여러 가지 식물의 잎입니다.

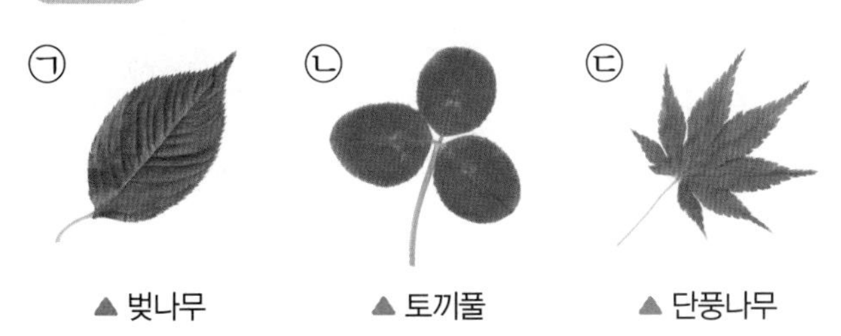
㉠ ▲ 벚나무 ㉡ ▲ 토끼풀 ㉢ ▲ 단풍나무

2 위 ㉠~㉢ 중 잎이 갈라져 있는 것을 골라 기호를 써 봅시다.

( )

3 위 ㉠~㉢의 공통점으로 옳은 것은 어느 것입니까? ( )

① 잎의 끝이 뾰족하다.
② 잎이 손바닥 모양이다.
③ 잎이 한곳에 여러 개씩 난다.
④ 잎의 모양이 가늘고 길쭉하다.
⑤ 잎의 가장자리가 톱니 모양이다.

중요

4 다음과 같이 식물의 잎을 분류한 기준 ㉠으로 옳은 것은 어느 것입니까? ( )

분류 기준: (㉠)

▲ 나팔꽃 ▲ 강아지풀 ▲ 단풍나무 ▲ 소나무

① 잎이 초록색인가?
② 잎에서 냄새가 나는가?
③ 잎의 모양이 가늘고 길쭉한가?
④ 잎을 만지면 털이 느껴지는가?
⑤ 잎의 가장자리가 톱니 모양인가?

5 들이나 산에서 사는 식물에 대한 설명으로 옳지 않은 것은 어느 것입니까? ( )

① 잎은 초록색이다.
② 땅에 뿌리를 내린다.
③ 모두 한해살이 식물이다.
④ 뿌리, 줄기, 잎이 구분된다.
⑤ 크게 풀과 나무로 구분된다.

6 다음 명아주와 떡갈나무에 대한 설명으로 옳지 않은 것을 보기 에서 골라 기호를 써 봅시다.

▲ 명아주

▲ 떡갈나무

보기
㉠ 명아주는 잎의 가장자리가 톱니 모양이다.
㉡ 명아주는 줄기가 곧게 자란다.
㉢ 떡갈나무는 잎의 가장자리가 매끈하다.
㉣ 떡갈나무는 키가 크고 줄기가 굵다.

( )

7 다음 식물 중 풀을 모두 골라 기호를 써 봅시다.

㉠ ▲ 밤나무

㉡ ▲ 강아지풀

㉢ ▲ 민들레

( )

8 다음 토끼풀과 단풍나무의 차이점으로 옳은 것을 보기 에서 골라 기호를 써 봅시다.

▲ 토끼풀

▲ 단풍나무

보기
㉠ 토끼풀은 단풍나무보다 키가 크다.
㉡ 단풍나무는 토끼풀보다 줄기가 굵다.
㉢ 토끼풀은 여러해살이 식물이고 단풍나무는 한해살이 식물이다.

( )

9 오른쪽 부레옥잠 잎자루의 단면에 보이는 구멍에는 무엇이 들어 있는지 써 봅시다.

( )

중요

10 부레옥잠이 물에 떠서 살 수 있는 까닭으로 옳은 것은 어느 것입니까? ( )

① 줄기가 튼튼하기 때문이다.
② 잎이 초록색이기 때문이다.
③ 잎자루가 가늘기 때문이다.
④ 잎자루에 물이 들어 있기 때문이다.
⑤ 잎자루에 공기가 들어 있기 때문이다.

11 강이나 연못에서 사는 식물이 아닌 것은 어느 것입니까? ( )

① 
▲ 부들

② ▲ 개구리밥

③ ▲ 마름

④ 
▲ 싸리

12 오른쪽 수련에 대한 설명으로 옳은 것은 어느 것입니까? ( )

① 사막에서 산다.
② 물속에 잠겨서 산다.
③ 잎이 물 위로 높이 자란다.
④ 잎과 꽃이 물 위에 떠 있다.
⑤ 식물 전체가 물에 떠 있다.

서술형

13 다음 물속에 잠겨서 사는 식물들이 환경에 적응한 특징을 한 가지 써 봅시다.

▲ 검정말

▲ 나사말

중요

14 선인장의 특징으로 옳은 것을 보기 에서 모두 골라 써 봅시다.

보기
㉠ 줄기가 가늘다.
㉡ 줄기에 물을 저장하고 있다.
㉢ 잎이 가시 모양이어서 물이 밖으로 빠져나가는 것을 막을 수 있다.

( )

15 오른쪽 용설란이 사막 환경에 적응한 특징으로 옳은 것은 어느 것입니까? ( )

① 잎이 크고 두껍다.
② 줄기가 좁고 길게 자란다.
③ 뿌리가 물속으로 뻗어 있다.
④ 잎자루에 공기주머니가 있다.
⑤ 줄기가 작거나 가시로 변해 있다.

서술형

16 바오바브나무가 사막 환경에 적응한 특징을 써 봅시다.

____

____

17 다음과 같은 환경에서 사는 식물을 모두 골라 기호를 써 봅시다.

기온이 매우 낮고, 바람이 많이 분다.

㉠ 
▲ 남극구슬이끼

㉡ 
▲ 금호선인장

㉢ 
▲ 북극버들

( )

중요

18 오른쪽 운동화의 찍찍이 테이프는 도꼬마리 열매의 어떤 특징을 활용한 것입니까? ( )

① 물에 뜨는 성질
② 물에 젖지 않는 성질
③ 가벼워 멀리 날아갈 수 있는 성질
④ 열매가 떨어지면서 회전하는 성질
⑤ 갈고리 모양이어서 천에 잘 붙는 성질

19 오른쪽 유리 코팅제는 어떤 식물의 특징을 활용한 것인지 골라 기호를 써 봅시다.

㉠ 
▲ 연잎

㉡ 
▲ 비로야자

㉢ 
▲ 장미 가시

( )

20 오른쪽 단풍나무 열매의 특징을 우리 생활에 활용한 예를 두 가지 골라 써 봅시다. (,)

① 가시철조망
② 태양 전지판 나무
③ 헬리콥터의 프로펠러
④ 물이 스며들지 않는 옷감
⑤ 바람을 타고 회전하는 드론

물의 상태 변화

탐구로 시작하기 물의 상태 변화 관찰하기

1 페트리 접시에 얼음과 물을 각각 담고 여러 가지 방법으로 관찰해 봅시다.

구분	얼음	물
종류		
관찰한 내용	• 모양이 일정합니다. • 단단합니다. • 손으로 잡을 수 있습니다. • 차갑습니다.	• 모양이 일정하지 않습니다. • 페트리 접시를 기울이면 흐릅니다. • 손으로 잡을 수 없습니다.

2 페트리 접시에 담긴 얼음을 손바닥에 올려놓고 시간이 지나면 어떻게 되는지 관찰해 봅시다.

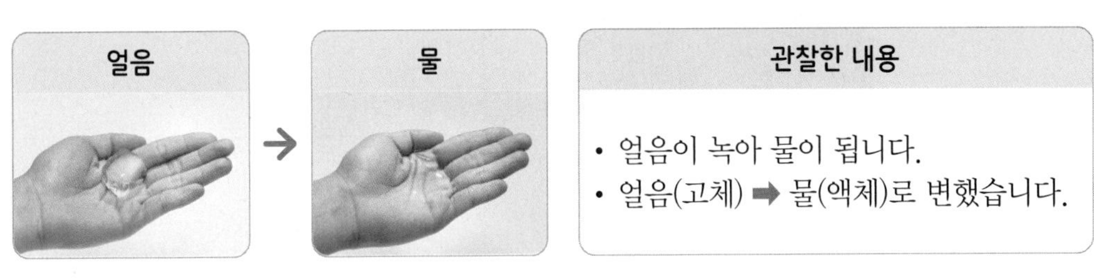

• 얼음이 녹아 물이 됩니다.
• 얼음(고체) ➡ 물(액체)로 변했습니다.

3 과정 2에서 녹지 않은 얼음을 페트리 접시에 내려놓고, 손에 묻은 물이 시간이 지나면 어떻게 되는지 관찰해 봅시다.

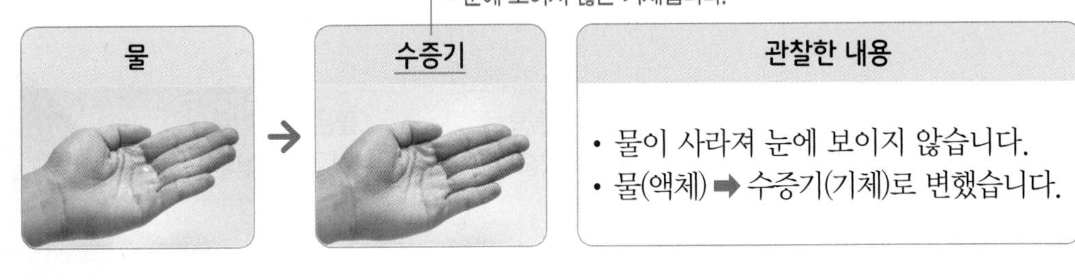

• 물이 사라져 눈에 보이지 않습니다.
• 물(액체) ➡ 수증기(기체)로 변했습니다.

정리

손바닥 위의 얼음과 물의 상태는 각각 어떻게 변했을까요?

➡ 손바닥 위의 얼음은 고체 상태에서 액체 상태로 변했습니다.

➡ 손바닥 위의 물은 액체 상태에서 기체 상태로 변했습니다.

개념 이해하기

1 물의 세 가지 상태

물의 고체 상태를 얼음, 액체 상태를 물, 기체 상태를 수증기라고 합니다.

구분		상태	특징
얼음		고체	• 모양이 일정합니다. • 단단합니다. • 손으로 잡을 수 있습니다. • 차갑습니다.
물		액체	• 모양이 일정하지 않습니다. • 흐르는 성질이 있습니다. • 손으로 잡을 수 없습니다.
수증기		기체	• 눈에 보이지 않습니다.

수증기는 눈에 보이지 않지만 공기 중에 있어요.

2 물의 상태 변화

① 물의 상태 변화: 물이 다른 상태로 변하는 것을 물의 상태 변화라고 합니다.

상태 변화 물질이 어느 한 상태에서 다른 상태로 변하는 것

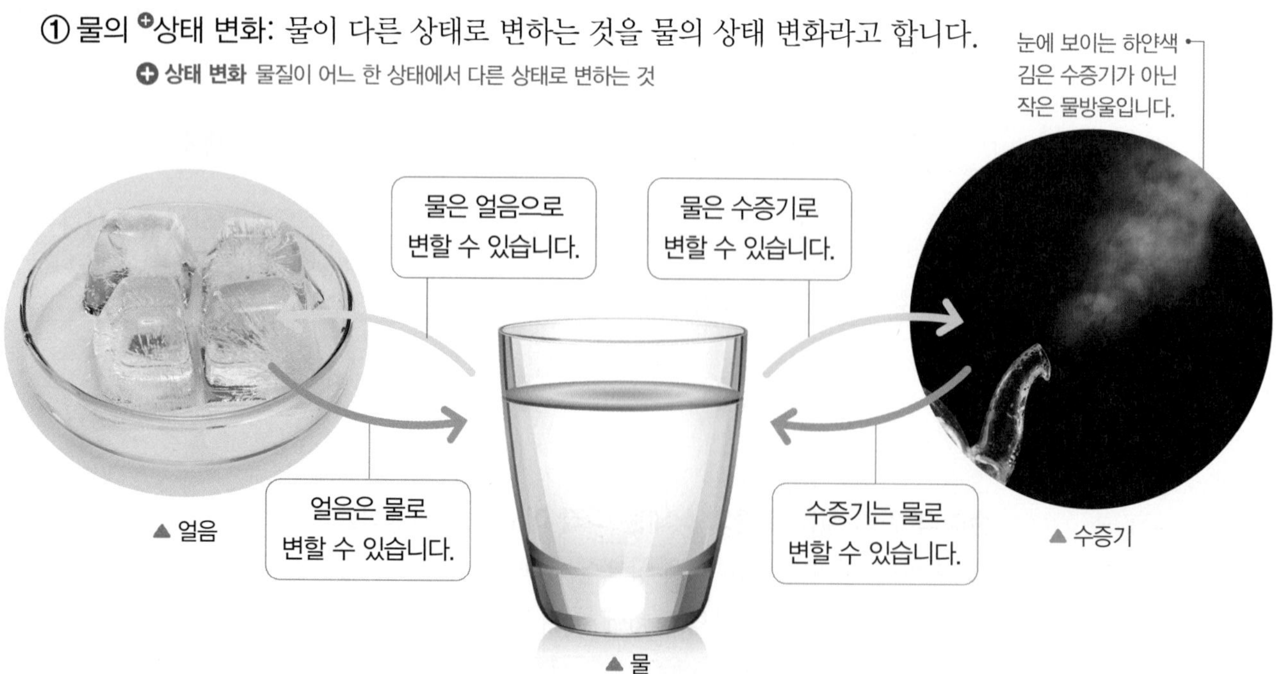

▲ 얼음 ▲ 물 ▲ 수증기

② 물의 상태 변화 관찰하기

물(액체) → 얼음(고체)

얼음과 소금이 섞여 녹으면서 주변의 열을 흡수하기 때문에 주변의 온도가 낮아져 물을 빨리 얼릴 수 있습니다.

수조에 얼음과 소금을 넣고 잘 섞은 다음 물이 담긴 페트리 접시를 얼음 위에 올려놓고 물의 변화를 관찰합니다.

물이 차갑고 단단한 얼음으로 변합니다.

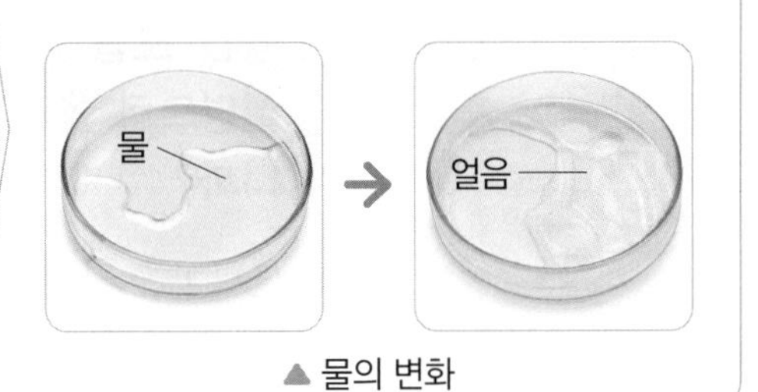

▲ 물의 변화

물(액체) → 수증기(기체)

종이에 물이 닿으면 검은색으로 변합니다.

붓에 물을 묻힌 다음 물로 쓰는 종이에 글을 적어 보고 시간에 따른 변화를 관찰합니다.

종이에 묻은 물이 공기 중으로 날아가기 때문에 시간이 지나면서 물이 마르고 점차 글씨가 사라집니다.

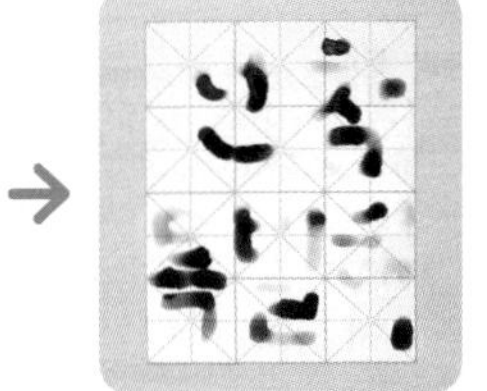

▲ 글씨가 사라지고 있는 종이

글씨 부분을 손으로 만지면 축축해요.

③ 물의 상태 변화 예

추운 겨울 언 호수의 물

추운 겨울이 되면 호수의 물이 얼어서 고체인 얼음으로 변합니다.

손 말리개로 손 말리기

젖은 손의 물이 말라서 기체인 수증기로 변합니다.

핵심 개념 확인하기

정답과 해설 ● 5쪽

✔ **물의 세 가지 상태**

얼음	물	수증기
• 물의 ❶ ☐☐ 상태 • 모양이 일정합니다. • 차갑고 단단합니다. • 손으로 잡을 수 있습니다.	• 물의 ❷ ☐☐ 상태 • 모양이 일정하지 않습니다. • 흐르는 성질이 있습니다. • 손으로 잡을 수 없습니다.	• 물의 ❸ ☐☐ 상태 • 눈에 보이지 않습니다.

✔ **물의 ❹ ☐☐☐☐**: 물이 다른 상태로 변하는 것입니다.

문제로 완성하기

물의 상태 변화 관찰하기

1 **오른쪽은 페트리 접시에 얼음과 물이 담긴 모습입니다. ㉠과 ㉡에 대한 설명으로 옳지 않은 것은 어느 것입니까?** (　　)

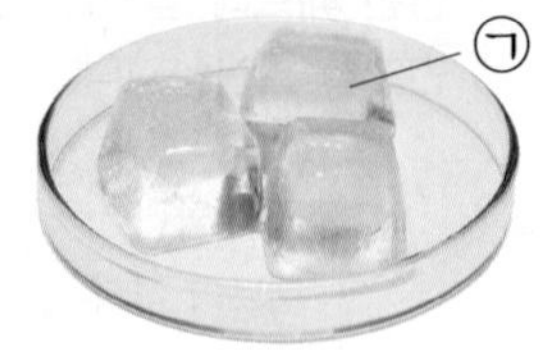

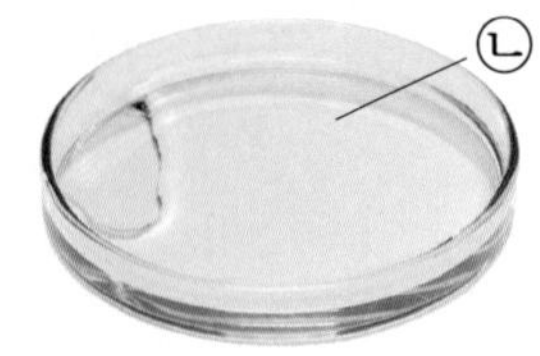

① ㉠은 차갑고 단단하다.
② ㉠은 흐르는 성질이 있다.
③ ㉡은 손으로 잡을 수 없다.
④ ㉠은 고체 상태, ㉡은 액체 상태이다.
⑤ ㉠을 손바닥에 올려놓으면 녹아 ㉡이 된다.

2 **오른쪽과 같이 얼음을 손바닥에 올려놓았을 때 일어나는 변화에 대한 설명으로 옳은 것은 어느 것입니까?** (　　)

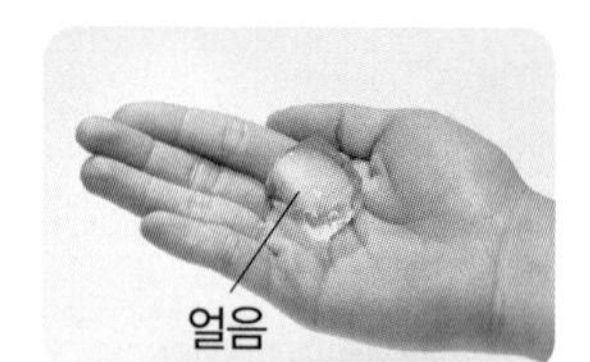

① 얼음이 점점 커진다.
② 얼음이 녹아 물이 된다.
③ 얼음이 점점 단단해진다.
④ 얼음이 점점 불투명해진다.
⑤ 얼음의 크기는 변하지 않는다.

3 **손에 묻은 물이 시간이 지나면 어떻게 되는지 옳게 설명한 것을 보기 에서 골라 기호를 써 봅시다.**

보기
㉠ 아무런 변화가 없다.
㉡ 물의 양이 점점 많아진다.
㉢ 물이 말라서 손에서 사라진다.

(　　　　)

4~5 다음은 물의 세 가지 상태를 나타낸 것입니다.

㉠ 

▲ 수증기

㉡ 

▲ 얼음

㉢ 

▲ 물

물의 세 가지 상태

4

위 ㉠~㉢ 중 다음에서 설명하는 것을 골라 기호를 써 봅시다.

- 모양이 일정하지 않고 흐르는 성질이 있다.
- 손으로 잡을 수 없다.

( )

5

위 ㉠에 대한 설명으로 옳은 것은 어느 것입니까? ( )

① 차갑다.
② 단단하다.
③ 고체 상태이다.
④ 모양이 일정하다.
⑤ 눈에 보이지 않는다.

물의 상태 변화

6

다음은 수조에 얼음과 소금을 넣고 잘 섞은 다음 물이 담긴 페트리 접시를 얼음 위에 올려놓고 물의 변화를 관찰한 결과입니다. ( ) 안에 알맞은 말을 각각 써 봅시다.

(㉠) 상태인 물이 얼어 (㉡) 상태인 (㉢)이 된다.

㉠: ( ) ㉡: ( ) ㉢: ( )

물이 얼거나 얼음이 녹을 때의 변화

탐구로 시작하기

물과 얼음의 상태 변화에서 부피와 무게 변화 비교하기

과정

실험 동영상

활동 1 물이 얼 때 부피와 무게 변화

1 물이 얼 때 부피와 무게가 어떻게 될지 예상하여 써 봅시다.

부피	무게
물이 얼 때 부피는 늘어날 것 같습니다.	물이 얼 때 무게는 변하지 않을 것 같습니다.

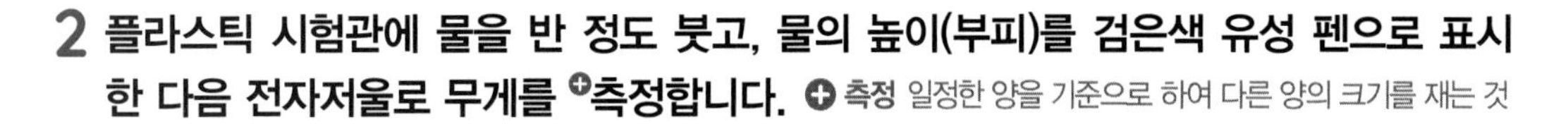

2 플라스틱 시험관에 물을 반 정도 붓고, 물의 높이(부피)를 검은색 유성 펜으로 표시한 다음 전자저울로 무게를 측정합니다.

⊕ 측정 일정한 양을 기준으로 하여 다른 양의 크기를 재는 것

얼음에 소금을 넣으면 물이 어는 데 걸리는 시간을 줄일 수 있어요.

3 잘게 부순 얼음에 소금을 넣고 잘 섞은 다음 얼음의 가운데에 플라스틱 시험관을 꽂아 물을 얼립니다.

4 물이 완전히 얼면 얼음의 높이(부피)를 빨간색 유성 펜으로 표시한 다음 무게를 측정하고 과정 2와 비교합니다.

시험관 표면에 묻은 물기를 닦은 다음 측정합니다.

결과

부피(물과 얼음의 높이)		무게(g)	
얼기 전(과정 2)	언 후(과정 4)	얼기 전(과정 2)	언 후(과정 4)
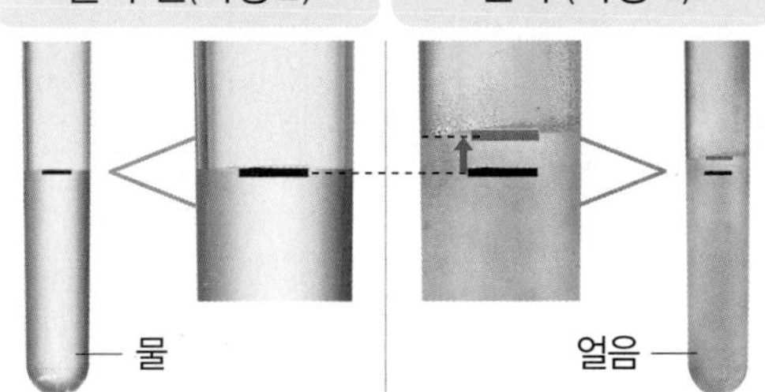		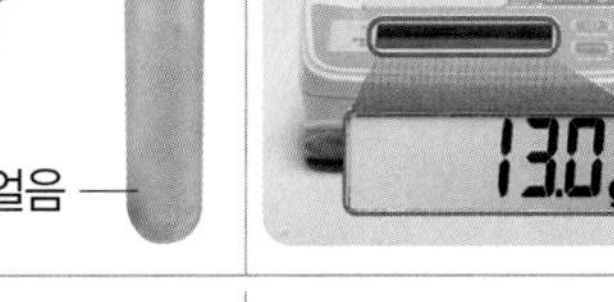	
얼음의 높이가 처음 물의 높이보다 높아집니다.		물과 얼음의 무게가 모두 13.0 g으로 일정합니다.	

정리

물이 얼 때 부피와 무게는 어떻게 되나요?

➜ 물이 얼 때 부피는 늘어나고, 무게는 변하지 않습니다.

탐구로 시작하기

활동 2 얼음이 녹을 때 부피와 무게 변화

1 얼음이 녹을 때 부피와 무게가 어떻게 될지 예상하여 써 봅시다.

부피	무게
얼음이 녹을 때 부피는 줄어들 것 같습니다.	얼음이 녹을 때 무게는 변하지 않을 것 같습니다.

2 활동 1에서 물을 얼린 플라스틱 시험관의 얼음의 높이(부피)와 무게를 확인합니다.

3 물이 얼어 있는 플라스틱 시험관을 따뜻한 물이 든 비커에 넣습니다.

4 얼음이 완전히 녹으면 물의 높이(부피)를 파란색 유성 펜으로 표시한 다음 무게를 측정하고 과정 2와 비교합니다.

시험관 표면에 묻은 물기를 닦은 다음 측정합니다.

결과

부피(얼음과 물의 높이)		무게(g)	
녹기 전(과정 2)	녹은 후(과정 4)	녹기 전(과정 2)	녹은 후(과정 4)

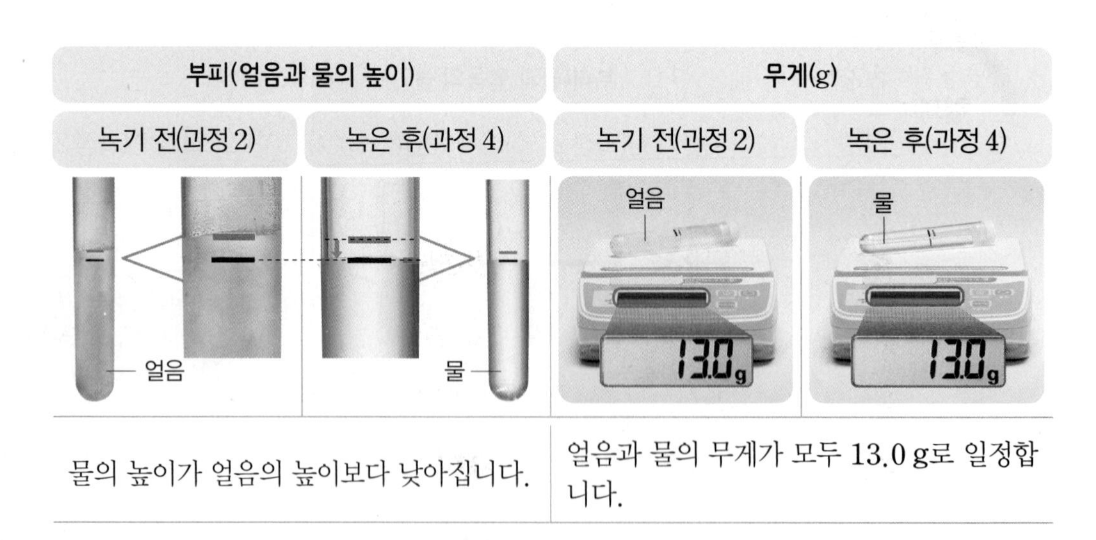

부피	무게
물의 높이가 얼음의 높이보다 낮아집니다.	얼음과 물의 무게가 모두 13.0 g로 일정합니다.

정리

얼음이 녹을 때 부피와 무게는 어떻게 되나요?

➜ 얼음이 녹을 때 부피는 줄어들고, 무게는 변하지 않습니다.

개념 이해하기

1 물과 얼음의 상태 변화에서 부피와 무게 변화

구분	부피	무게
물이 얼어 얼음이 될 때	늘어납니다.	변하지 않습니다.
얼음이 녹아 물이 될 때	줄어듭니다.	변하지 않습니다.

예 페트병 안에 있는 물의 상태 변화에서 부피와 무게 변화

▲ 물이 얼기 전 ▲ 물이 얼어 얼음이 된 후 ▲ 얼음이 녹은 후

2 물이 얼거나 얼음이 녹을 때의 부피 변화 예

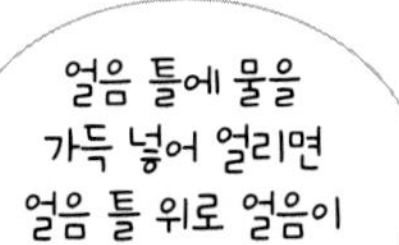

물이 얼 때		얼음이 녹을 때

한겨울에 ⊕수도관에 설치된 ⊕계량기가 물이 얼어서 터집니다.	병에 담긴 주스를 냉동실에 넣어 두면 물이 얼면서 부피가 늘어나 유리병이 깨집니다.	꽁꽁 언 튜브형 얼음과자가 녹으면 튜브 안에 가득 찬 얼음과자의 부피가 줄어듭니다.

└ 동파 사고를 예방하기 위해 수도관과 계량기를 헌 옷으로 감쌉니다.

└ 병에 물을 얼릴 때는 물을 가득 채우지 않습니다.

⊕ **수도관** 수돗물을 보내는 관 ⊕ **계량기** 부피, 무게 등을 재는 데 쓰는 기구

핵심 개념 확인하기

정답과 해설 • 5쪽

✔ 물과 얼음의 상태 변화에서 부피와 무게 변화

- **부피 변화:** 물 → 얼음이 될 때 부피가 늘어나고, 얼음 → 물이 될 때 부피가 줄어듭니다.
- **무게 변화:** 물 → 얼음이 될 때와 얼음 → 물이 될 때 모두 무게는 변하지 않습니다.

➜ 물이 얼거나 얼음이 녹을 때 ❶ ☐☐ 는 변합니다.

➜ 물이 얼거나 얼음이 녹을 때 ❷ ☐☐ 는 변하지 않습니다.

문제로 완성하기

1~3 다음은 물이 얼음으로 변할 때 부피와 무게 변화를 비교하는 과정입니다.

(가) 플라스틱 시험관에 물을 반 정도 붓고, 물의 높이를 표시한 다음 무게를 측정한다.
(나) 잘게 부순 얼음에 소금을 넣고 잘 섞은 다음 얼음의 가운데에 (가)의 플라스틱 시험관을 꽂아 물을 얼린다.
(다) 물이 완전히 얼면 플라스틱 시험관을 꺼내 얼음의 높이를 표시하고, 무게를 측정한다.

물과 얼음의 상태 변화에서 부피와 무게 변화

1 위 실험에서 물이 얼기 전과 완전히 언 후 얼음의 높이를 옳게 비교한 것을 보기 에서 골라 기호를 써 봅시다.

보기
㉠ 물이 완전히 언 후 얼음의 높이가 낮아진다.
㉡ 물이 완전히 언 후 얼음의 높이가 높아진다.
㉢ 물이 얼기 전과 물이 완전히 언 후 얼음의 높이는 같다.

(　　　　　　)

2 위 과정 (다)에서 측정한 플라스틱 시험관의 무게가 오른쪽과 같을 때, 과정 (가)에서 측정한 시험관의 무게로 옳은 것은 어느 것입니까? (　　　)

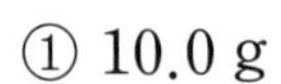

① 10.0 g　② 12.0 g
③ 13.0 g　④ 14.0 g
⑤ 15.0 g

3 위 실험을 통해 알 수 있는 물이 얼 때 부피와 무게 변화로 옳은 것은 어느 것입니까? (　　　)

구분	①	②	③	④	⑤
물이 얼 때 부피 변화	줄어든다.	늘어난다.	변하지 않는다.	변하지 않는다.	늘어난다.
물이 얼 때 무게 변화	줄어든다.	늘어난다.	변하지 않는다.	늘어난다.	변하지 않는다.

4 물을 얼린 플라스틱 시험관의 부피(얼음의 높이)와 무게를 확인한 다음 오른쪽과 같이 따뜻한 물이 든 비커에 넣었습니다. 얼음이 녹아 물이 될 때 부피와 무게의 변화를 옳게 짝 지은 것은 어느 것입니까? (　　　)

	부피	무게
①	늘어난다.	변하지 않는다.
②	줄어든다.	변하지 않는다.
③	줄어든다.	늘어난다.
④	변하지 않는다.	늘어난다.
⑤	변하지 않는다.	줄어든다.

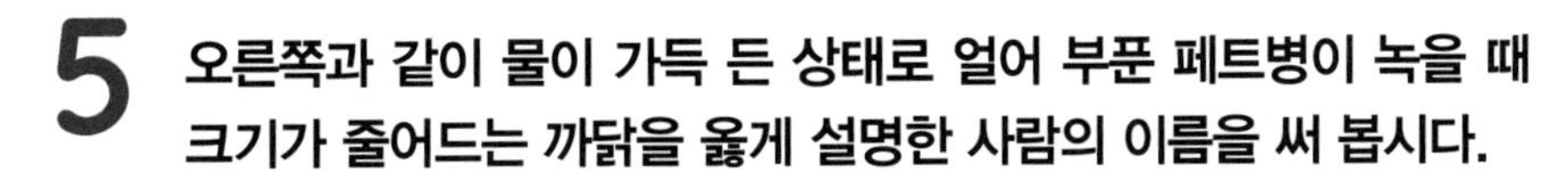

5 오른쪽과 같이 물이 가득 든 상태로 얼어 부푼 페트병이 녹을 때 크기가 줄어드는 까닭을 옳게 설명한 사람의 이름을 써 봅시다.

- 세진: 얼음이 녹으면서 물의 무게가 늘어났기 때문이야.
- 지호: 얼음이 녹으면서 물의 부피가 늘어났기 때문이야.
- 민아: 얼음이 녹으면서 물의 무게가 줄어들었기 때문이야.
- 다훈: 얼음이 녹으면서 물의 부피가 줄어들었기 때문이야.

(　　　　　　　　　　)

물이 얼거나 얼음이 녹을 때의 부피 변화 예

6 물과 얼음의 상태 변화에서 부피 변화가 나머지와 다른 것은 어느 것입니까? (　　　)

① 한겨울에 수도 계량기가 터진다.
② 물을 가득 담아 냉동실에 넣어 둔 페트병이 부푼다.
③ 튜브형 얼음과자가 녹으면 얼음과자의 부피가 줄어든다.
④ 병에 담긴 주스를 냉동실에 넣어 두면 유리병이 깨진다.
⑤ 얼음 틀에 물을 가득 넣어 얼리면 얼음 틀 위로 얼음이 튀어 나온다.

물이 증발할 때의 변화

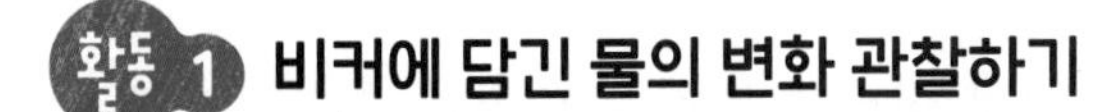

탐구로 시작하기 물이 증발할 때의 특징 관찰하기

과정 및 결과

실험 동영상

활동 1 비커에 담긴 물의 변화 관찰하기

1 비커에 물을 반 정도 넣고 물의 높이를 유성 펜으로 표시합니다.

2 물이 담긴 비커를 한쪽에 놓아둡니다.

3 시간이 지남에 따라 물의 높이와 물의 모습에 생긴 변화를 관찰해 봅시다.

시간	30분 뒤	1시간 뒤	1일 뒤
모습	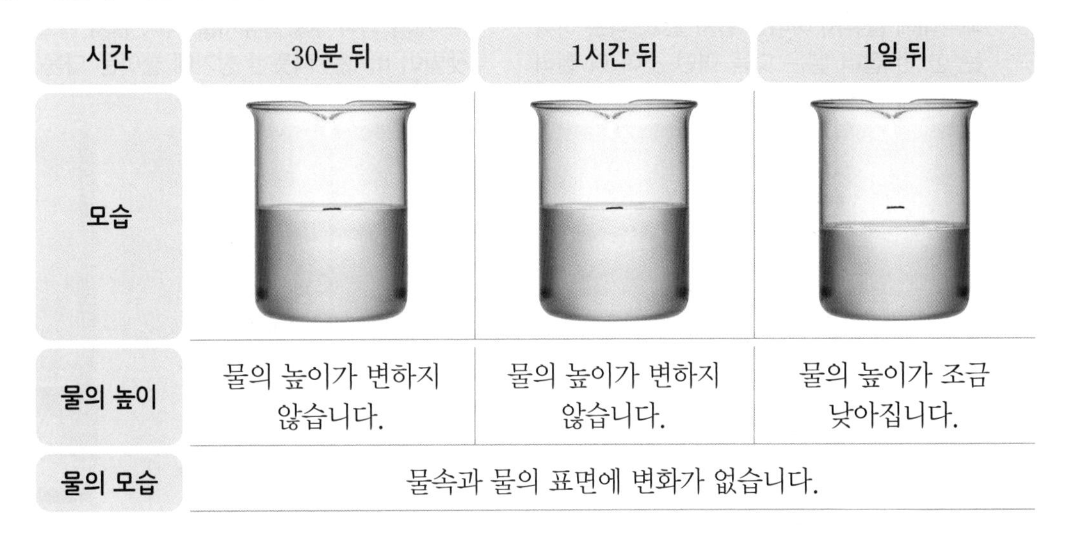		
물의 높이	물의 높이가 변하지 않습니다.	물의 높이가 변하지 않습니다.	물의 높이가 조금 낮아집니다.
물의 모습	물속과 물의 표면에 변화가 없습니다.		

실험 동영상

활동 2 물에 젖은 화장지의 변화 관찰하기

1 물기가 없는 화장지를 메모꽂이에 걸어 놓고 분무기로 물을 한두 번 뿌려 적십니다.

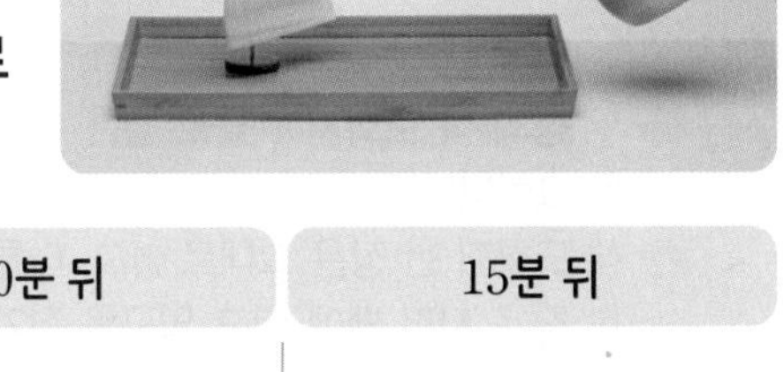

2 물기가 가득하여 축축한 화장지를 5분 간격으로 만져 보고 변화를 관찰해 봅시다.

시간	5분 뒤	10분 뒤	15분 뒤
관찰한 내용	물기가 남아 있지만 덜 축축합니다.	물기가 거의 없습니다.	바짝 말랐습니다.

정리

활동 1, 활동 2와 같은 결과가 나타난 까닭은 무엇일까요?

➜ 액체인 물이 기체인 수증기로 변하여 공기 중으로 날아갔기 때문입니다.

개념 이해하기

1 증발

물의 ⊕표면에서 액체인 물이 기체인 수증기로 상태가 변하는 현상을 증발이라고 합니다. ⊕ **표면** 사물의 가장 바깥쪽 또는 가장 윗부분

2 증발이 잘 일어나는 조건 관찰하기

① 물휴지가 빨리 마르는 조건 관찰하기 → 물휴지의 크기와 물의 양이 같아야 정확한 결과를 얻을 수 있습니다.

물휴지 넡은 방법을 다르게 하는 경우

쇠막대에 물휴지 하나는 펼쳐 널고, 다른 하나는 한 번 접어 넡은 다음 어떤 것이 더 빨리 마르는지 관찰합니다.

펼쳐 넡은 물휴지

한 번 접어 넡은 물휴지

펼쳐 넡은 물휴지가 더 빨리 마릅니다.

온도를 다르게 하는 경우

두 개의 쇠막대에 물휴지를 각각 펼쳐 널고 하나는 책상에, 다른 하나는 햇빛이 비치는 따뜻한 창가에 놓아둔 다음 어떤 것이 더 빨리 마르는지 관찰합니다.

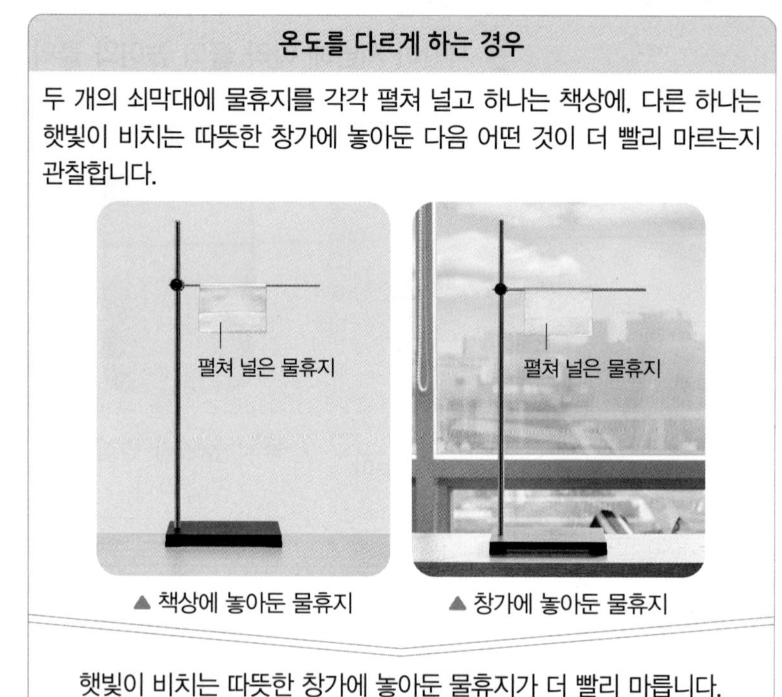

▲ 책상에 놓아둔 물휴지 ▲ 창가에 놓아둔 물휴지

햇빛이 비치는 따뜻한 창가에 놓아둔 물휴지가 더 빨리 마릅니다.

② 색 도화지가 빨리 마르는 조건 관찰하기 → 색도화지에 묻은 물의 양이 같아야 정확한 결과를 얻을 수 있습니다.

공기(바람)가 통하는 방법을 다르게 하는 경우

❶ 두 장의 색 도화지에 물로 같은 그림을 그립니다.
❷ 색 도화지 한 장은 그대로 놓고, 다른 한 장은 지퍼 백에 넣고 입구를 잠가 놓아둡니다.
❸ 어떤 색 도화지의 그림이 더 빨리 마르는지 관찰합니다.

▲ 지퍼 백 밖에 놓아둔 색 도화지

▲ 지퍼 백 안에 놓아둔 색 도화지

지퍼 백에 밖에 놓아둔 색 도화지에 물로 그린 그림이 더 빨리 마릅니다.

③ 증발이 잘 일어나는 조건: 넓게 펼쳐 널수록, 주변이 따뜻할수록, 공기(바람)가 잘 통할수록 증발이 잘 일어납니다.
→ 물이 빨리 마르는 조건과 증발이 잘 일어나는 조건이 같습니다.

3 우리 주변에서 물의 증발과 관련된 예

빨래 말리기

빨래를 공기 중에 널어 두면 빨래의 물이 증발해 빨래가 마릅니다.

고추 말리기

고추 안에 들어 있는 물을 증발시키면 고추를 오래 보관할 수 있습니다.

젖은 머리카락 말리기

머리 말리개를 이용해 열을 가하면 머리카락 표면에 묻은 물이 증발해 머리카락이 마릅니다.

땀 말리기

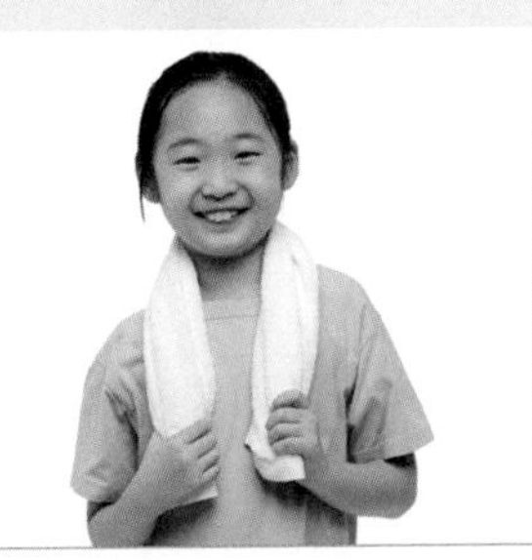

운동 후 흘린 땀이 시간이 지나면 마릅니다.

감 말리기

감 안에 들어 있는 물을 증발시켜 ⊕곶감을 만듭니다.

⊕ **곶감** 껍질을 벗겨 말린 감

염전에서 소금 얻기

⊕염전의 바닷물을 증발시켜 소금을 얻습니다.

⊕ **염전** 소금을 만들기 위해 바닷물을 끌어 들여 논처럼 만든 곳

08 일차

핵심 개념 확인하기

정답과 해설 ● 5쪽

✔ **증발**: 물의 ❶ □□에서 액체인 ❷ □이 기체인 ❸ □□□로 상태가 변하는 현상입니다.

✔ **다음 조건에서 물이 증발하는 빠르기를 >, <로 비교하기 (단, 물휴지의 크기, 물휴지에 포함된 물의 양은 모두 동일합니다.)**

지퍼 백에 넣어 입구를 잠가 놓아둔 물휴지	❹ □	지퍼백 밖에 놓아둔 물휴지
쇠막대에 펼쳐 널은 물휴지	❺ □	쇠막대에 한 번 접어 널은 물휴지
책상에 놓아둔 물휴지	❻ □	따뜻한 창가에 놓아둔 물휴지

✔ **우리 주변에서 ❼ □□이 일어나는 예**: 빨래 말리기, 고추 말리기, 젖은 머리카락 말리기, 염전에서 소금 얻기 등이 있습니다.

문제로 완성하기

물이 증발할 때의 특징 관찰하기

1 **다음은 비커에 물을 반 정도 넣고 물의 높이를 유성 펜으로 표시한 다음 한쪽에 놓아두었을 때 일어나는 현상을 설명한 것입니다. (　　) 안에 알맞은 말을 써 봅시다.**

비커에 물을 반 정도 넣은 뒤 시간이 지나면 비커 안에 있는 물의 높이가 (㉠)진다. 이는 물의 (㉡)에서 물이 수증기로 변하여 공기 중으로 날아가기 때문이다.

㉠: (　　　　　　　　) ㉡: (　　　　　　　　)

2 **오른쪽과 같이 물기가 없는 화장지에 분무기로 물을 뿌린 뒤 일어나는 변화에 대한 설명으로 옳은 것은 어느 것입니까?** (　　　)

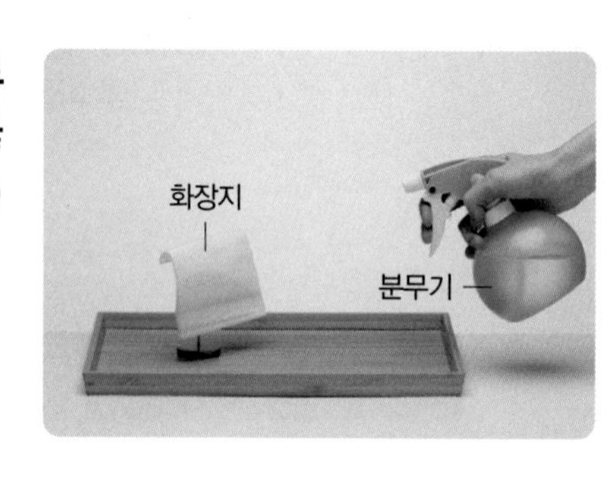

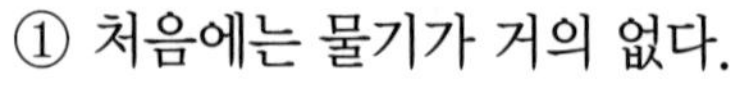

① 처음에는 물기가 거의 없다.
② 물을 많이 뿌릴수록 빨리 마른다.
③ 시간이 지나면서 점점 물기가 많아진다.
④ 일정한 시간이 지나면 화장지가 바짝 마른다.
⑤ 시간이 지나도 화장지의 축축한 정도는 변하지 않는다.

증발

3 **다음 (　　) 안에 알맞은 말을 써 봅시다.**

물휴지가 시간이 지나면 마르는 것과 같이 물의 표면에서 물이 수증기로 변하는 현상을 (　　)(이)라고 한다.

(　　　　　　　　)

증발이 잘 일어나는 조건 관찰하기

4 **오른쪽과 같이 햇빛이 없는 장소에서 크기와 모양이 같은 물휴지 두 개를 준비하여 하나는 펼쳐 널고 다른 하나는 한 번 접어서 널어 두었습니다. 이에 대한 설명으로 옳지 않은 것은 어느 것입니까?** (　　　)

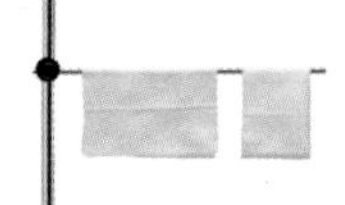

① 두 물휴지의 물이 수증기로 변하여 공기 중으로 날아간다.
② 물의 증발이 잘 일어나는 조건을 비교하기 위한 실험이다.
③ 펼쳐 널은 물휴지는 한 번 접어 널은 물휴지보다 빨리 마른다.
④ 햇빛이 있는 장소에서 같은 실험을 하면 물휴지가 마르는 정도가 빨라질 것이다.
⑤ 물휴지를 두 번 접어서 같은 장소에 널어 두면 한 번 접어서 널은 물휴지보다 빨리 마를 것이다.

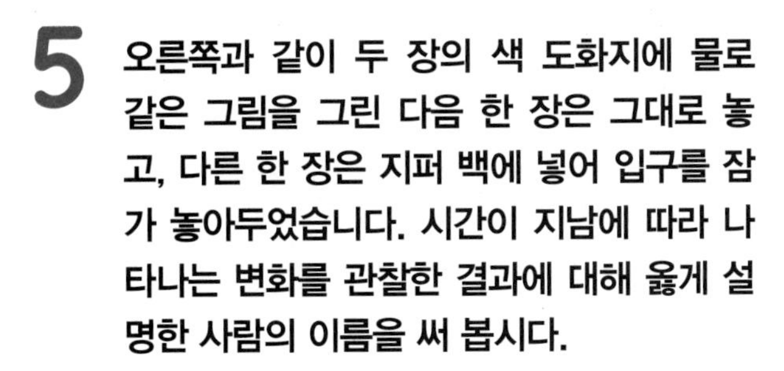

5 **오른쪽과 같이 두 장의 색 도화지에 물로 같은 그림을 그린 다음 한 장은 그대로 놓고, 다른 한 장은 지퍼 백에 넣어 입구를 잠가 놓아두었습니다. 시간이 지남에 따라 나타나는 변화를 관찰한 결과에 대해 옳게 설명한 사람의 이름을 써 봅시다.**

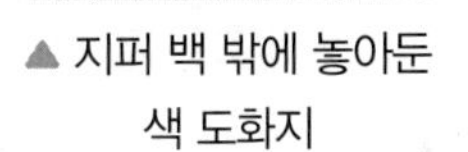

▲ 지퍼 백 밖에 놓아둔 색 도화지

▲ 지퍼 백 안에 놓아둔 색 도화지

- 세진: 색 도화지에 물로 그린 그림은 시간이 지남에 따라 점점 사라져.
- 지호: 색 도화지에 물로 그린 그림은 지퍼 백에 넣어 입구를 잠가 놓아두었을 때가 지퍼 백 밖에 놓아두었을 때보다 빨리 말라.
- 민아: 공기가 잘 통하지 않을수록 증발이 잘 일어나지.

(　　　　　　　)

우리 주변에서 물의 증발과 관련된 예

6 **우리 주변에서 물이 증발하는 예가 아닌 것은 어느 것입니까?** (　　　)

① 빨래를 널어 말린다.
② 고추를 말려서 보관한다.
③ 추운 겨울이 되면 호수의 물이 언다.
④ 머리 말리개로 젖은 머리카락을 말린다.
⑤ 염전의 바닷물을 증발시켜 소금을 얻는다.

물이 끓을 때의 변화

탐구로 시작하기 물이 끓을 때의 특징 관찰하기

과정 및 결과

실험 동영상

1 비커에 물을 반 정도 넣고 물의 높이를 유성 펜으로 표시합니다.

2 물을 ⁺가열하면서 물이 끓기 전과 물이 끓을 때 물의 표면과 물속에서 나타나는 변화를 관찰해 봅시다. ⊕ **가열** 어떤 물질에 열을 가하는 것

구분	처음부터 물이 끓기 전까지	물이 끓을 때
물의 표면	비커에 담긴 물은 표면에서 천천히 증발하므로 거의 변화가 없는 것처럼 보입니다.	물속의 ⁺기포가 올라와 터지면서 물 표면이 울퉁불퉁해집니다. ⊕ **기포** 액체나 고체에 둘러싸인 기체 방울
물속	거의 변화가 없다가 시간이 지나면서 작은 기포가 조금씩 생깁니다.	크고 작은 기포가 계속 많이 생깁니다.

3 가열 장치를 끈 뒤 물의 높이를 처음 높이와 비교해 봅시다.

▲ 물이 끓기 전 ▲ 물이 끓은 후

정리

- **물이 끓은 후 물의 높이가 물이 끓기 전보다 낮아진 까닭은 무엇일까요?**

➜ 물의 표면과 물속에서 액체인 물이 기체인 수증기로 변하여 공기 중으로 날아가 물의 양이 줄어들었기 때문입니다.

- **물이 증발할 때와 끓을 때의 공통점과 차이점은 무엇인가요?**

➜ 공통점: 액체인 물이 기체인 수증기로 상태가 변합니다.

➜ 차이점: 물이 증발할 때는 물 표면에서 물이 수증기로 상태가 변하고, 물이 끓을 때는 물 표면과 물속에서 물이 수증기로 상태가 변합니다. 또한 물의 양은 물이 끓을 때가 증발할 때보다 빠르게 줄어듭니다.

개념 이해하기

1 끓음

물의 표면과 물속에서 액체인 물이 기체인 수증기로 상태가 변하는 현상을 끓음이라고 합니다.

2 물을 가열하여 끓을 때 나타나는 변화

➜ 물의 표면뿐만 아니라 물속에서도 액체인 물이 기체인 수증기로 변하여 공기 중으로 날아가므로 물이 끓은 후 물의 높이가 낮아집니다.

3 우리 주변에서 물의 끓음과 관련된 예

▲ 달걀 삶기

▲ 유리병 ⊕소독하기

⊕ **소독** 병의 감염이나 전염을 예방하기 위하여 해로운 균을 죽이는 것

▲ 고구마 삶기

▲ 끓는 물에 차 우리기

4 물이 증발할 때와 끓을 때 물의 높이 변화 비교하기

❶ 크기가 같은 비커 두 개에 같은 양의 물을 넣고 유성 펜으로 물의 높이를 표시합니다.
❷ 비커 하나는 그대로 두고, 다른 하나는 가열 장치에 올려 가열합니다.

일정한 시간이 지난 뒤 그대로 둔 물과 가열해 끓인 물의 높이 변화는 다음과 같습니다.

▲ 그대로 둔 물 ▲ 가열해 끓인 물

➔ 가열해 끓인 물의 높이 변화가 큽니다.

끓음은 증발과 다르게 물속에서도 물이 수증기로 상태가 변하므로 증발할 때보다 물의 양이 빠르게 줄어듭니다.

5 증발과 끓음의 공통점과 차이점

구분	증발	끓음
공통점	액체인 물이 기체인 수증기로 상태가 변합니다.	
차이점	• 물 표면에서 물이 수증기로 상태가 변합니다. • 물의 양이 매우 천천히 줄어듭니다.	• 물 표면과 물속에서 물이 수증기로 상태가 변합니다. (증발할 때보다 빠르게 수증기로 변합니다.) • 증발할 때보다 물의 양이 빠르게 줄어듭니다.

핵심 개념 확인하기

정답과 해설 • 6쪽

✔ ❶ ☐☐: 물의 표면과 물속에서 액체인 ❷ ☐이 기체인 ❸ ☐☐☐로 상태가 변하는 현상입니다.

✔ **우리 주변에서 물의 ❹ ☐☐과 관련된 예**: 달걀 삶기, 유리병 소독하기, 고구마 삶기, 끓는 물에 차 우리기 등이 있습니다.

✔ **물이 증발할 때와 끓을 때 물의 양이 줄어드는 빠르기를 >, =, <로 비교하기**

물이 증발할 때	❺ ☐	물이 끓을 때

✔ **증발과 끓음의 공통점과 차이점 비교하기**

구분	증발	끓음
공통점	❻ ☐이 ❼ ☐☐☐로 상태가 변합니다.	
차이점	• 물 ❽ ☐☐에서 물이 수증기로 상태가 변합니다. • 물의 양이 매우 천천히 줄어듭니다.	• 물 표면과 물 ❾ ☐에서 물이 수증기로 상태가 변합니다. • 증발할 때보다 물의 양이 ❿ ☐☐☐ 줄어듭니다.

문제로 완성하기

1~2 **오른쪽과 같이 비커에 물을 반 정도 넣고 물의 높이를 유성 펜으로 표시한 다음, 물을 가열하면서 일어나는 변화를 관찰하였습니다.**

물이 끓을 때의 특징 관찰하기

1 **위 실험에서 처음부터 물이 끓기 전까지의 모습으로 옳은 것을 두 가지 골라 써 봅시다.** (,)

① 변화가 거의 없다.
② 물 표면이 울퉁불퉁해진다.
③ 큰 기포가 계속 많이 생긴다.
④ 물의 높이가 빠르게 낮아진다.
⑤ 시간이 지나면서 작은 기포가 조금씩 생긴다.

2 **위 실험에서 물이 끓고 난 후 물의 높이에 대한 설명으로 옳은 것을 보기 에서 골라 기호를 써 봅시다.**

보기
㉠ 물이 끓기 전과 물의 높이가 같다.
㉡ 물이 끓기 전보다 물의 높이가 낮아진다.
㉢ 물이 끓기 전보다 물의 높이가 높아진다.

( )

끓음

3 **물의 끓음에 대한 설명으로 옳은 것은 어느 것입니까?** ( )

① 수증기가 물로 변하는 현상이다.
② 물의 표면에서만 상태 변화가 일어난다.
③ 증발할 때보다 물의 양이 더 천천히 줄어든다.
④ 물이 끓을 때 물속에서 생기는 기포는 수증기이다.
⑤ 물을 가만히 두어도 일어날 수 있는 상태 변화이다.

우리 주변에서 물의 끓음과 관련된 예

4 물의 끓음과 관련된 예가 아닌 것을 보기 에서 골라 기호를 써 봅시다.

보기

▲ 달걀 삶기 ▲ 빨래 말리기 ▲ 유리병 소독하기 ▲ 끓는 물에 차 우리기

(　　　　　　　　　　)

증발과 끓음의 공통점과 차이점

5 다음은 증발과 끓음의 공통점입니다. (　　) 안에 알맞은 말을 옳게 짝 지은 것은 어느 것입니까? (　　　)

(㉠)이/가 (㉡)(으)로 상태가 변한다.

	㉠	㉡
①	물	얼음
②	물	수증기
③	얼음	물
④	수증기	물
⑤	수증기	얼음

6 다음은 증발과 끓음을 비교한 표입니다. ㉠~㉥ 중 옳지 않은 것을 골라 기호를 써 봅시다.

구분	증발	끓음
물이 줄어드는 빠르기	㉠ 매우 느리다.	㉡ 증발할 때보다 빠르다.
상태 변화가 일어나는 곳	㉢ 물 표면에서 일어난다.	㉣ 물 표면과 물속에서 일어난다.
상태 변화	㉤ 액체 상태 → 기체 상태	㉥ 기체 상태 → 액체 상태

(　　　　　　　　　　)

수증기가 물로 변하는 현상

탐구로 시작하기 수증기가 응결하는 현상 관찰하기

1 플라스틱 컵에 주스와 얼음을 넣고 뚜껑을 덮습니다.

2 과정 1의 컵을 은박 접시에 올려놓고 전자저울로 무게를 측정해 봅시다.

➜ 무게는 220.9 g입니다.

3 시간이 지남에 따라 플라스틱 컵 표면에서 일어나는 변화를 관찰해 봅시다.

➜ 플라스틱 컵 표면에 물방울이 맺히고 점점 커집니다.

4 시간이 지난 뒤에 은박 접시에 올려놓은 컵의 무게를 측정하고 처음 측정한 무게와 비교해 봅시다.

➜ 시간이 지난 뒤의 무게는 221.9 g입니다.

5 시간이 지남에 따라 컵에서 일어나는 변화를 정리해 봅시다.

컵 표면에 맺힌 물방울은 공기 중의 수증기가 물로 상태 변화한 것이므로 휴지로 닦으면 아무 색깔도 나타나지 않아요.

처음 무게(g)	나중 무게(g)
220.9 g	221.9 g

➜ 무게가 늘어납니다.

주스와 얼음을 넣은 컵은 차갑기 때문에 공기 중의 수증기가 컵 표면에 닿아 물방울로 맺힙니다. 따라서 맺힌 물방울의 무게만큼 무게가 늘어납니다.

정리

- **주스와 얼음을 넣은 플라스틱 컵의 무게가 늘어난 까닭은 무엇일까요?**

➜ 공기 중의 수증기가 차가운 컵 표면에 닿아 물방울로 맺혔기 때문입니다.

- **컵 표면에 맺힌 물방울은 어디로부터 생긴 것일까요?**

➜ 컵 표면에 맺힌 물방울은 공기 중의 수증기가 물로 상태 변화한 것입니다.

개념 이해하기

1 응결

기체인 수증기가 액체인 물로 상태가 변하는 현상을 응결이라고 합니다.

2 응결이 일어날 때 나타나는 변화

3 수증기가 응결하는 현상 관찰하기

① 차가운 오렌지주스를 넣은 금속 컵의 표면 변화 관찰하기

② 얼음을 넣지 않은 컵과 얼음을 넣은 컵의 표면 변화 관찰하기

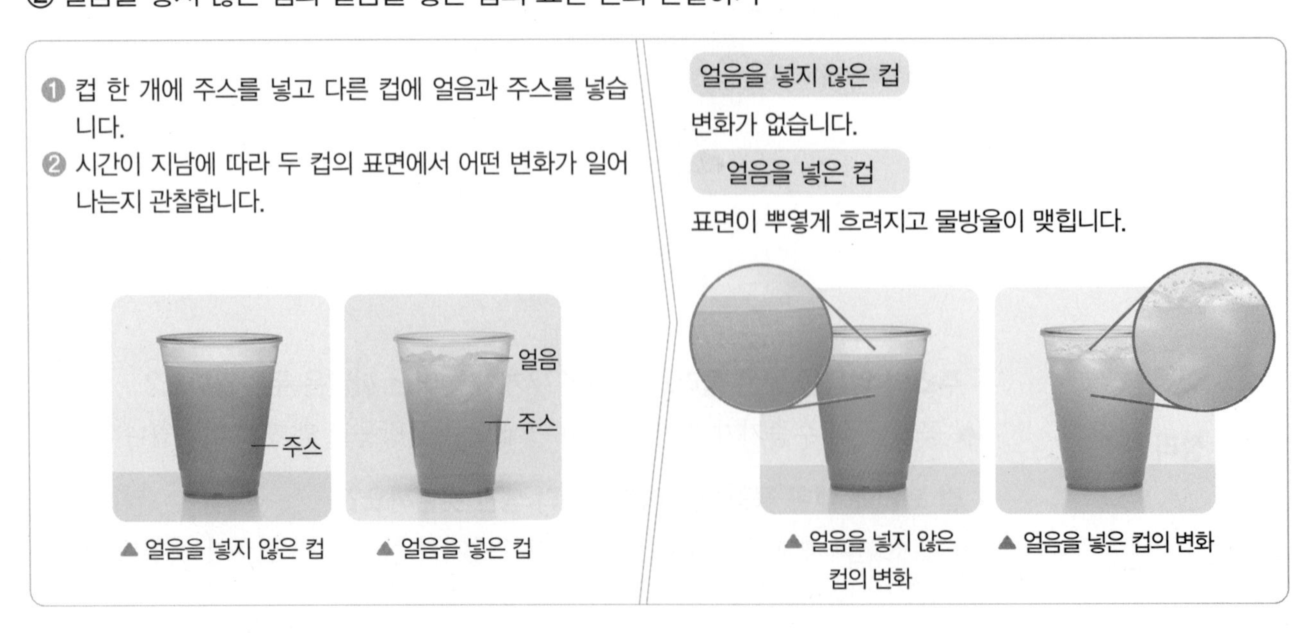

▲ 얼음을 넣지 않은 컵 ▲ 얼음을 넣은 컵

▲ 얼음을 넣지 않은 컵의 변화 ▲ 얼음을 넣은 컵의 변화

4 우리 주변에서 응결과 관련된 예

⊕ **이슬** 따뜻한 수증기가 새벽에 차가워진 풀잎이나 꽃잎 등과 만나 식어서 만들어진 물방울

맑은 날 이른 아침 풀잎에 맺힌 ⊕이슬

추운 겨울 따뜻한 실내로 들어 왔을 때 뿌옇게 흐려진 안경

가열한 냄비 뚜껑 안쪽에 맺힌 물방울

차가운 음료수가 담긴 컵 표면에 맺힌 물방울

맑은 날 이른 아침 거미줄에 맺힌 물방울

추운 겨울 유리창 안쪽에 맺힌 물방울

• 집 안과 밖의 온도 차이가 크면 유리창의 안쪽에 물방울이 맺힙니다.

5 우리 일상생활에서 물의 상태 변화를 이용한 예

물이 얼음으로 상태가 변화한 예		물이 수증기로 상태가 변화한 예	
		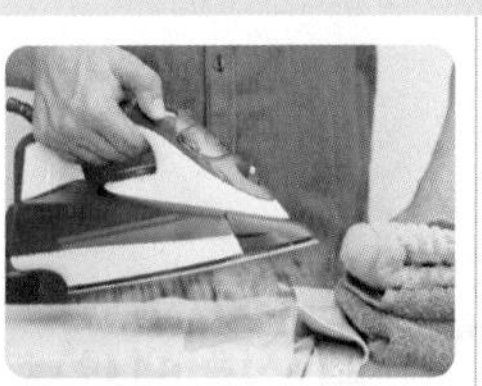	
스키장에서 인공 눈을 만듭니다.	물을 얼려 만든 얼음을 갈아 팥빙수를 만듭니다.	스팀 다리미로 옷 주름을 폅니다.	집 안이 건조할 때 가습기를 틉니다.

➔ 우리 일상생활에서 물의 상태 변화를 다양하게 이용합니다.

방 안 습기를 제거하기 위해 트는 제습기는 수증기가 물로 변하는 상태 변화를 이용한 예예요.

핵심 개념 확인하기

정답과 해설 ● 6쪽

✔ **응결**: 기체인 ❶(   ) 가 액체인 ❷(   ) 로 상태가 변하는 현상입니다.

✔ **응결이 일어날 때 나타나는 변화**

차가운 캔 표면에서 ❸(   ) 가 물방울로 변해 표면이 뿌옇게 흐려집니다. → 물방울이 커집니다. → 커진 물방울이 아래로 흘러내립니다.

✔ **얼음을 넣지 않은 컵과 얼음을 넣은 컵의 표면 변화**: 얼음을 넣지 않은 컵의 표면은 변화가 없고, 얼음을 넣은 컵의 표면에는 ❹(   ) 이 맺힙니다.

✔ **우리 주변에서 ❺(   ) 과 관련된 예**: 풀잎에 맺힌 이슬, 뿌옇게 흐려진 안경, 냄비 뚜껑 안쪽에 맺힌 물방울 등이 있습니다.

8 문제로 완성하기

1~3 다음은 주스와 얼음을 넣은 플라스틱 컵에 나타나는 변화를 관찰하는 실험입니다.

(가) 플라스틱 컵에 주스와 얼음을 넣고 뚜껑을 덮는다.
(나) 주스와 얼음을 넣은 플라스틱 컵을 은박 접시에 올려놓고 무게를 측정한다.
(다) 주스와 얼음을 넣은 플라스틱 컵 표면에서 나타나는 변화를 관찰한다.
(라) 시간이 지난 뒤에 은박 접시 위에 올려놓은 컵의 무게를 측정한다.

수증기가 응결하는 현상 관찰하기

1 **위 실험에서 처음 무게와 시간이 지난 뒤의 무게를 비교하여 ◯ 안에 >, =, < 중 옳은 것을 골라 써 봅시다.**

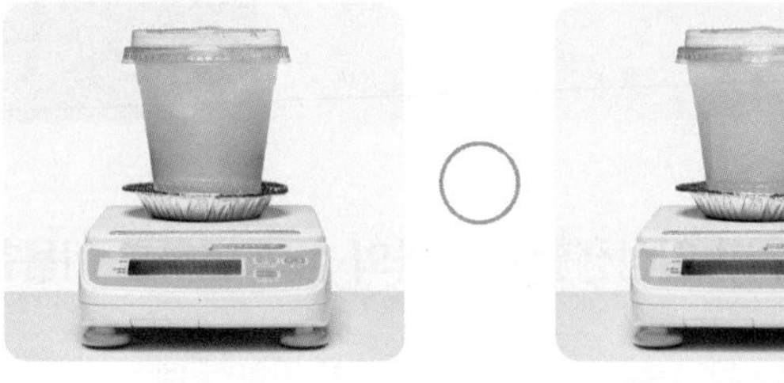

▲ 처음 무게 ◯ ▲ 시간이 지난 뒤의 무게

2 **위 실험에서 시간이 지나면서 플라스틱 컵에 나타나는 변화로 옳은 것을 <u>두 가지</u> 골라 써 봅시다.** (,)

① 주스의 양이 줄어든다.
② 은박 접시에 물이 고인다.
③ 컵 표면에 물방울이 맺힌다.
④ 은박 접시에 주스가 고인다.
⑤ 컵 안에서 기포가 올라와 터진다.

3 **위 2번 답과 같은 현상이 나타나는 까닭으로 옳은 것을 보기 에서 골라 기호를 써 봅시다.**

보기
㉠ 컵 안의 주스가 컵 밖으로 새어 나오기 때문
㉡ 컵 안의 얼음이 녹은 물이 밖으로 나오기 때문
㉢ 공기 중의 수증기가 컵 표면에 닿아 물방울로 변했기 때문

( )

수증기가 응결하는 현상 관찰하기

4 **컵의 표면에서 응결이 일어나지 않는 경우를 보기 에서 골라 기호를 써 봅시다.**

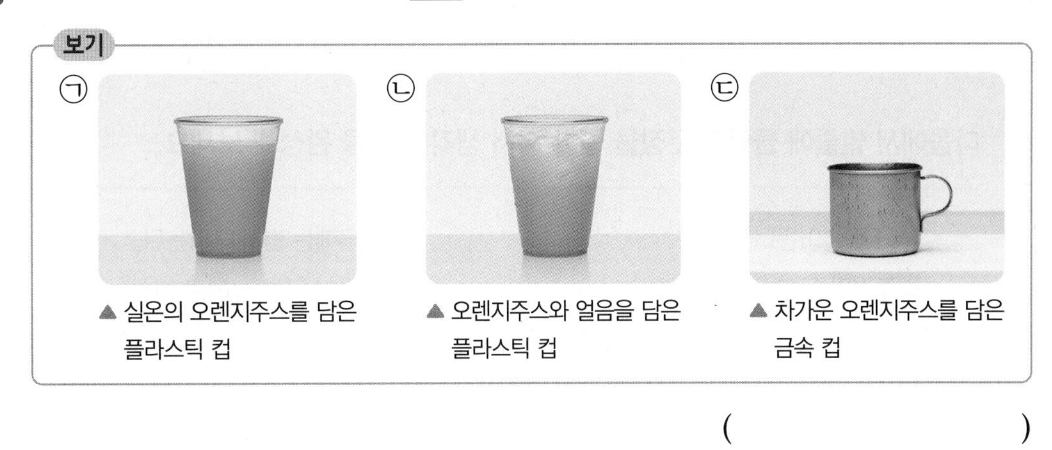

보기

㉠ ▲ 실온의 오렌지주스를 담은 플라스틱 컵

㉡ ▲ 오렌지주스와 얼음을 담은 플라스틱 컵

㉢ ▲ 차가운 오렌지주스를 담은 금속 컵

(　　　　　　　　)

우리 주변에서 응결과 관련된 예

5 **오른쪽과 같이 추운 겨울 안경알 표면이 뿌옇게 흐려질 때 일어나는 물의 상태 변화로 옳은 것은 어느 것입니까?** (　　　)

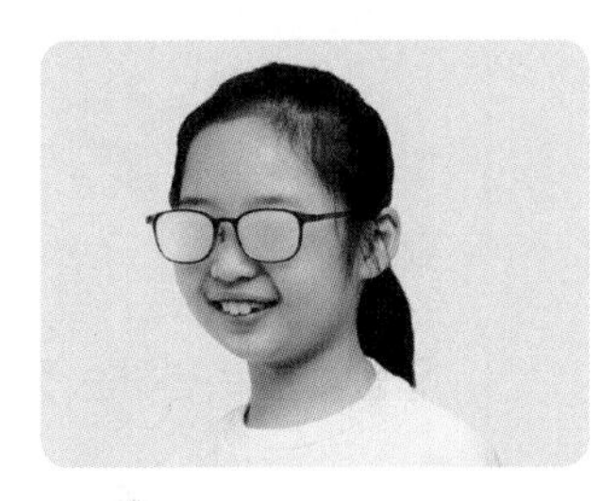

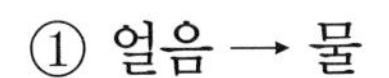

① 얼음 → 물　　② 물 → 얼음

③ 물 → 수증기　　④ 수증기 → 물

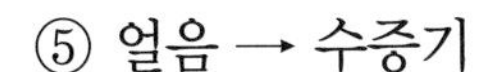

⑤ 얼음 → 수증기

우리 일상생활에서 물의 상태 변화를 이용한 예

6 **물이 수증기로 변하는 상태 변화를 이용하는 예를 보기 에서 모두 골라 기호를 써 봅시다.**

보기

㉠ ▲ 가습기 틀기

㉡ ▲ 팥빙수 만들기

㉢ ▲ 인공 눈 만들기

㉣ ▲ 스팀 다리미로 옷 주름 펴기

(　　　　　　　　)

스스로 정리하기

특별 부록 

정답과 해설 • 7쪽

다음에서 밑줄에 들어갈 문장을 골라 써서 생각 그물을 완성해 보세요.

- 부피가 줄어든다.
- 수증기가 물로 변하는 현상
- 물의 표면에서 물이 수증기로 변하는 현상
- 무게는 변하지 않는다.
- 물이 다른 상태로 변하는 것
- 물의 표면과 물속에서 물이 수증기로 변하는 현상

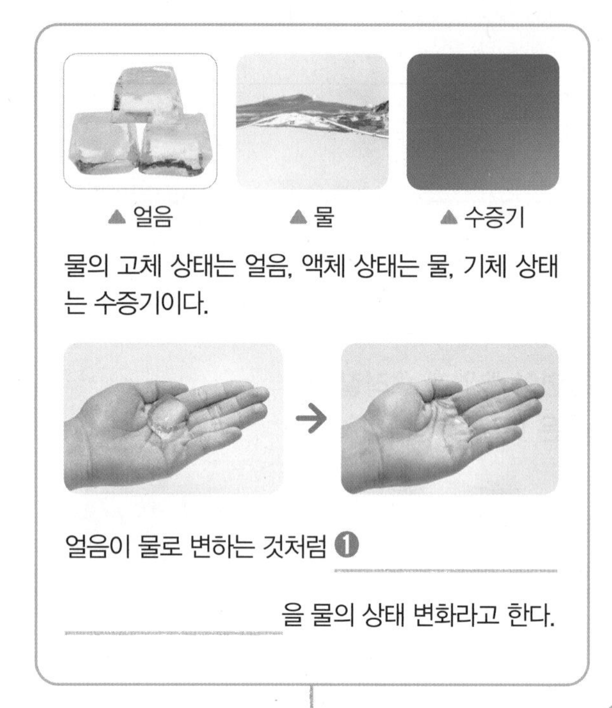

▲ 얼음 ▲ 물 ▲ 수증기

물의 고체 상태는 얼음, 액체 상태는 물, 기체 상태는 수증기이다.

얼음이 물로 변하는 것처럼 ❶ ________________ 을 물의 상태 변화라고 한다.

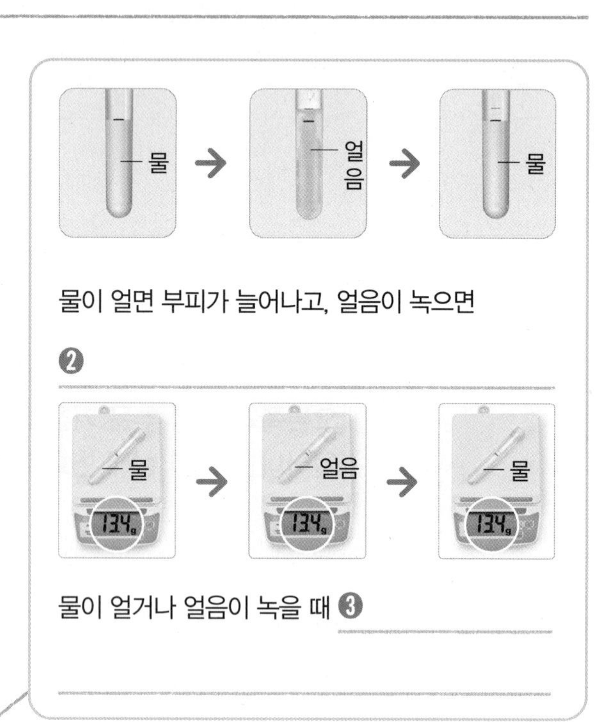

물이 얼면 부피가 늘어나고, 얼음이 녹으면

❷ ________________

물이 얼거나 얼음이 녹을 때 ❸ ________________

물의 상태 변화

- 물의 상태 변화
- 물이 얼거나 얼음이 녹을 때의 변화
- 응결
- 증발과 끓음

▲ 빨래 말리기 ▲ 고추 말리기

증발은 ❹ ________________ 이다.

▲ 달걀 삶기 ▲ 유리병 소독

끓음은 ❺ ________________ 이다.

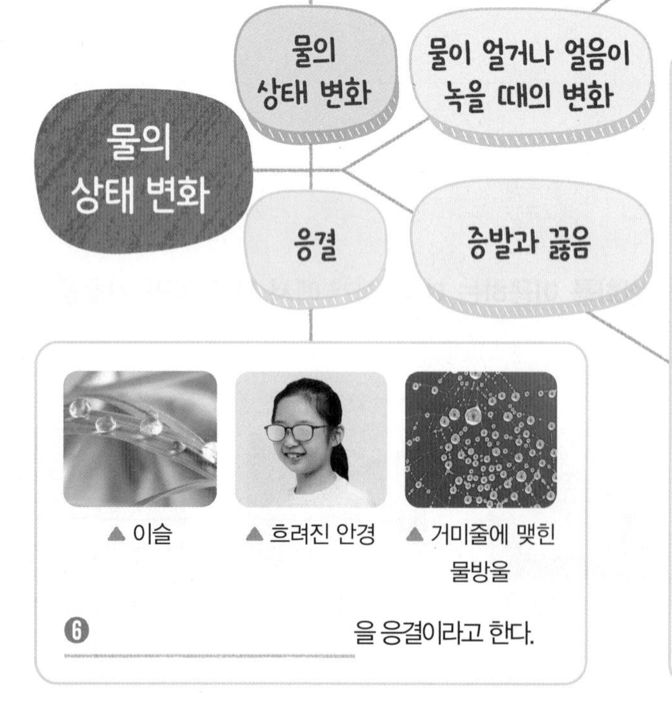

▲ 이슬 ▲ 흐려진 안경 ▲ 거미줄에 맺힌 물방울

❻ ________________ 을 응결이라고 한다.

단원 평가하기

(맞은 개수 개)

○ 정답과 해설 ● 7쪽

중요

1 얼음의 특징에 대한 설명으로 옳은 것을 두 가지 골라 써 봅시다. (,)

① 단단하다.
② 모양이 일정하다.
③ 손에 잡히지 않는다.
④ 눈에 보이지 않는다.
⑤ 담는 그릇에 따라 모양이 변한다.

2 다음 ㉠과 ㉡은 고체, 액체, 기체 중 어떤 상태에 해당하는지 각각 써 봅시다.

㉠ 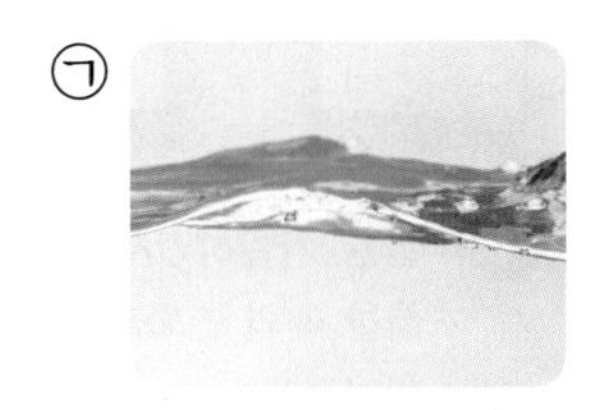

▲ 물

㉡  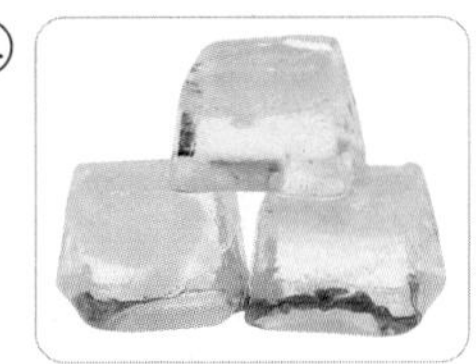

▲ 얼음

㉠: ( ) ㉡: ( )

서술형

3 손에 묻은 물이 시간이 지나면 손에서 사라지는 까닭은 무엇인지 써 봅시다.

____

____

4~5 다음은 물이 얼 때의 무게와 부피 변화를 알아보기 위한 실험입니다.

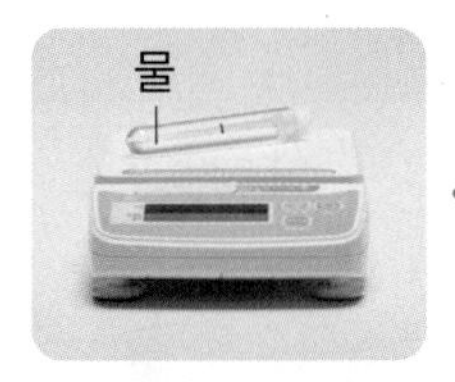

▲ 시험관에 물을 넣고 검은색 유성 펜으로 높이를 표시한 다음 무게를 측정합니다.

→

▲ 소금을 섞은 얼음이 든 비커에 시험관을 꽂아 물을 얼립니다.

4 앞의 실험 결과 물이 완전히 언 후의 모습으로 옳은 것을 보기 에서 골라 기호를 써 봅시다.

보기

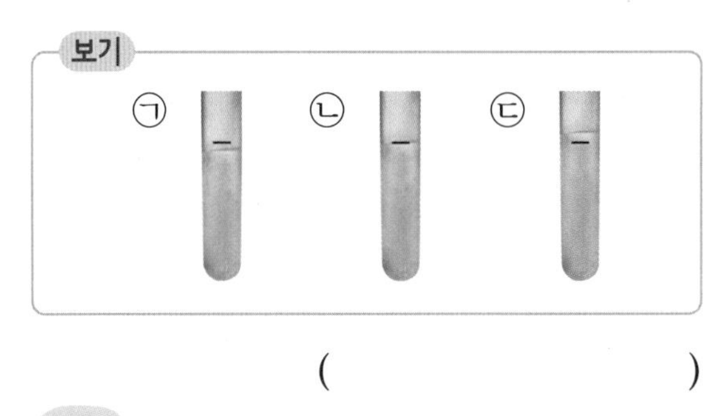

( )

서술형

5 앞 시험관의 물이 얼기 전의 무게와 물이 완전히 언 후의 무게를 비교하여 써 봅시다.

____

____

6~7 다음은 얼음과 물의 상태 변화에서 부피와 무게 변화를 비교하는 실험입니다.

(가) 

▲ 물을 얼린 시험관의 얼음의 높이와 무게를 측정합니다.

(나) 

▲ 따뜻한 물이 든 비커에 (가) 시험관을 넣습니다.

(다) 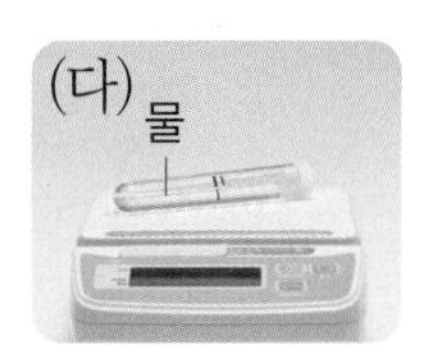

▲ 얼음이 녹은 시험관의 물의 높이와 무게를 측정합니다.

6 위 실험에서 (가)의 무게가 25.0 g이었을 때 (다)의 무게로 옳은 것은 어느 것입니까? ( )

① 23.0 g ② 24.0 g ③ 25.0 g
④ 26.0 g ⑤ 27.0 g

7 다음 ( ) 안에 알맞은 말을 써 봅시다.

> 시험관 안의 얼음이 녹을 때 물의 높이 변화를 통해 얼음이 녹을 때의 ( ) 변화를 알 수 있다.

( )

8 부피 변화가 나머지와 다른 현상을 보기 에서 골라 기호를 써 봅시다.

보기
㉠ 한겨울에 수도관에 설치된 계량기가 터진다.
㉡ 병에 담긴 주스를 냉동실에 넣어 두면 유리병이 깨진다.
㉢ 꽁꽁 언 튜브형 얼음과자가 녹으면 용기 안에 공간이 생긴다.

( )

중요

9 다음과 같은 현상이 나타날 때의 공통적인 물의 상태 변화로 옳은 것은 어느 것입니까? ( )

- 비커에 담긴 물의 높이가 점점 낮아진다.
- 물에 젖은 화장지가 점점 마른다.

① 고체 → 액체 ② 고체 → 기체
③ 액체 → 기체 ④ 액체 → 고체
⑤ 기체 → 액체

10 크기와 모양이 같은 물휴지를 조건을 다르게 하여 놓아두었을 때의 설명으로 옳은 것을 보기 에서 골라 기호를 써 봅시다.

보기
㉠ 지퍼 백에 넣지 않은 물휴지는 지퍼 백에 넣어서 입구를 닫아 놓아둔 물휴지보다 빨리 마른다.
㉡ 한 번 접어놓은 물휴지는 펼쳐 놓은 물휴지보다 빨리 마른다.
㉢ 햇빛이 있는 창가에 놓아둔 물휴지는 햇빛이 없는 곳에 놓아둔 물휴지보다 천천히 마른다.

( )

11 젖은 머리카락을 말릴 때 일어나는 물의 상태 변화와 같은 변화가 일어나는 경우를 두 가지 골라 써 봅시다. (,)

① 젖은 빨래가 마른다.
② 고추를 말려서 보관한다.
③ 이른 아침 풀잎에 물방울이 맺힌다.
④ 손바닥에 올려놓은 얼음이 점점 녹는다.
⑤ 추운 날 유리창 안쪽에 물방울이 생긴다.

12~13 다음은 물이 끓을 때의 특징을 관찰하는 실험입니다.

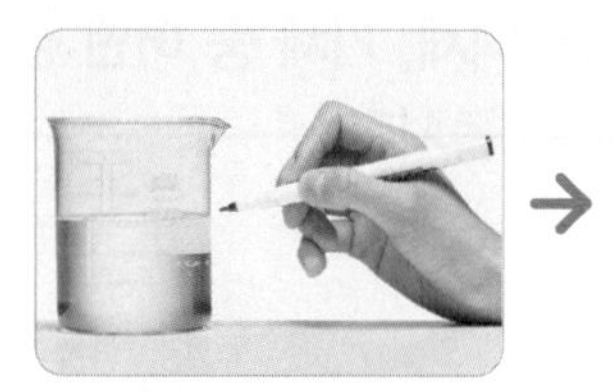
▲ 비커에 물을 반 정도 넣고, 물의 높이를 유성 펜으로 표시합니다.

▲ 물을 가열하면서 물이 끓을 때의 변화를 관찰합니다.

12 위 실험에서 물이 끓을 때 나타나는 변화로 옳은 것을 두 가지 골라 써 봅시다. (,)

① 변화가 거의 없다.
② 물 표면이 잔잔하다.
③ 큰 기포가 많이 생긴다.
④ 작은 기포가 조금 생긴다.
⑤ 기포가 올라와 터지면서 물 표면이 울퉁불퉁해진다.

13 위 실험 결과 물이 끓고 난 후 비커에 든 물의 높이로 옳은 것을 보기 에서 골라 기호를 써 봅시다.

보기
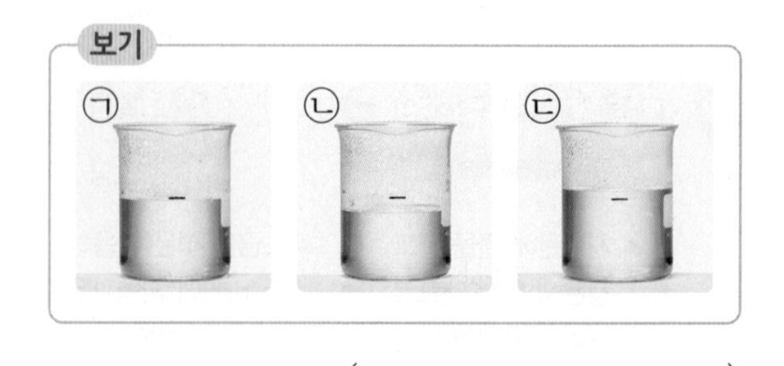

( )

14 우리 주변에서 물의 끓음과 관련된 예로 옳은 것은 어느 것입니까? ( )

① 얼음을 만든다.
② 곶감을 만든다.
③ 고구마를 삶는다.
④ 염전에서 소금을 얻는다.
⑤ 튜브형 얼음과자를 녹인다.

서술형

15 증발과 끓음의 공통점을 써 봅시다.

중요

16 증발과 끓음에 대한 설명으로 옳은 것은 어느 것입니까? ( )

① 증발은 물이 얼음으로 상태가 변하는 것이다.
② 끓음은 수증기가 물로 상태가 변하는 것이다.
③ 끓음은 증발보다 물의 양이 빠르게 줄어든다.
④ 끓음은 물 표면에서만 물이 수증기로 상태가 변하는 것이다.
⑤ 증발은 물 표면과 물속에서 물이 수증기로 상태가 변하는 것이다.

17 다음 ( ) 안에 알맞은 말을 각각 써 봅시다.

> 기체인 (㉠)이/가 액체인 물로 상태가 변하는 현상을 (㉡)(이)라고 한다.

㉠: ( ) ㉡: ( )

18~19 오른쪽과 같이 얼음과 주스를 넣은 플라스틱 컵을 은박 접시에 올려놓고 전자저울로 무게를 잰 뒤, 컵에서 나타나는 변화를 관찰하였습니다.

중요

18 위 실험에서 시간이 지남에 따라 나타나는 변화로 옳은 것을 보기 에서 골라 기호를 써 봅시다.

> 보기
> ㉠ 컵 표면이 뿌옇게 흐려진다.
> ㉡ 은박 접시에 주스가 고인다.
> ㉢ 컵 표면에 주스색 물방울이 맺힌다.

( )

서술형

19 위 실험에서 처음 무게와 나중 무게를 측정한 결과가 다음과 같을 때, 처음 무게와 나중 무게에 차이가 생긴 까닭을 써 봅시다.

처음 무게(g)	나중 무게(g)
220.9	221.9

20 물의 응결과 관련된 예가 아닌 것은 어느 것입니까? ( )

① 이른 아침 풀잎에 이슬이 맺힌다.
② 추운 겨울 안경알이 뿌옇게 흐려진다.
③ 맑은 날 아침 거미줄에 물방울이 맺힌다.
④ 머리 말리개를 이용해 젖은 머리카락을 말린다.
⑤ 끓고 있는 냄비의 뚜껑 안쪽에 물방울이 맺힌다.

그림자가 생기는 원리와 조건

탐구로 시작하기 그림자가 생기는 원리와 조건 알아보기

활동 1 그림자가 생기는 원리 알아보기

1 손전등 빛을 여러 곳에 비추었을 때 나타나는 현상을 관찰해 봅시다.

손전등 손으로 가지고 다닐 수 있고, 건전지를 넣으면 불이 들어오는 기구

→ 손전등 빛을 비춘 곳은 주변보다 밝습니다.

▲ 손전등 빛을 벽에 비추었을 때

▲ 손전등 빛을 책상에 비추었을 때

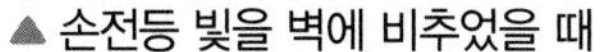

2 과정 1에서 손전등 빛을 비춘 곳이 주변보다 밝은 까닭을 이야기해 봅시다.

→ 손전등 빛이 닿았기 때문입니다.

3 책상 위에 물체를 놓고, 물체에 손전등 빛을 비추었을 때 밝은 곳과 어두운 곳이 어디인지 관찰해 봅시다.

밝은 곳	어두운 곳
• 물체에서 손전등 빛이 닿는 부분은 밝습니다. • 책상에서 손전등 빛이 닿는 부분은 밝습니다.	• 물체의 뒤쪽 부분은 어둡습니다. • 책상에서 손전등 빛이 닿지 않는 부분은 어둡습니다.

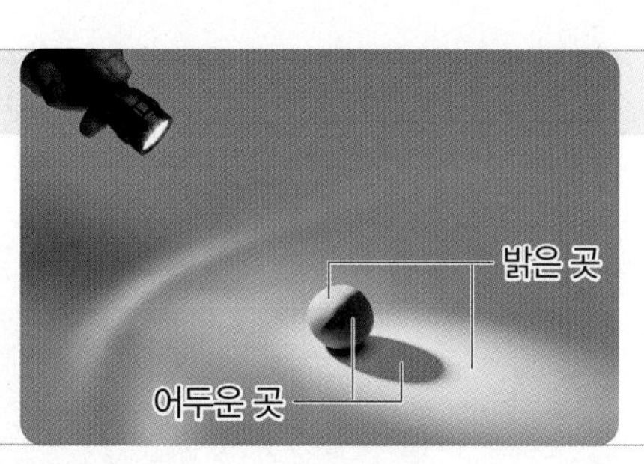

4 과정 3에서 물체의 뒤쪽 부분이 어둡게 보이는 까닭을 이야기해 봅시다.

→ 물체가 빛을 가려 물체의 뒤쪽에는 빛이 닿지 않았기 때문입니다. 이 부분이 그림자입니다.

정리

그림자는 어떻게 생길까요?

→ 물체에 빛을 비추면 물체가 빛을 가리고, 물체의 뒤쪽에는 빛이 닿지 않아서 그림자가 생깁니다.

탐구로 시작하기

실험 동영상

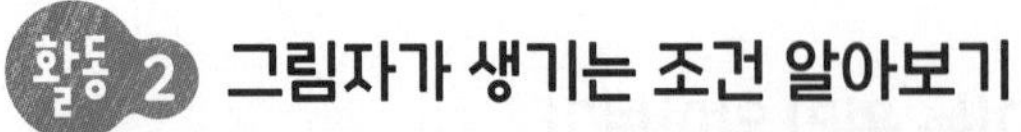

활동 2 그림자가 생기는 조건 알아보기

1 **점토로 둥근 공을 만들고 빨대를 공에 꽂습니다.**

➕ **스크린** 영화나 그림자 등이 비치게 하기 위한 흰색 막

2 **➕스크린 앞에 빨대를 꽂은 공을 들고 스크린에 그림자가 생기는지 관찰해 봅시다.**

➜ 그림자가 생기지 않습니다.

스크린 대신 흰 종이를 사용할 수도 있어요.

3 **빨대를 꽂은 공을 내려놓고, 손전등 빛을 스크린에 비추었을 때 스크린에 그림자가 생기는지 관찰해 봅시다.**

➜ 그림자가 생기지 않습니다.

4 **스크린 앞에 빨대를 꽂은 공을 들고 손전등 빛을 다양한 방향으로 비추었을 때 스크린에 그림자가 생기는지 관찰해 봅시다.**

손전등 빛을 물체 쪽으로 비추었을 때

손전등 빛을 위쪽으로 비추었을 때

손전등 빛을 물체 반대쪽으로 비추었을 때

손전등 빛을 아래쪽으로 비추었을 때

➜ 손전등 빛을 물체 쪽으로 비추었을 때만 그림자가 생깁니다.

정리

그림자가 생기는 조건은 무엇일까요?

➜ 그림자가 생기려면 빛과 물체가 필요하고, 물체를 바라보는 방향으로 빛을 비추어야 합니다.

개념 이해하기

1 그림자가 생기는 원리

① 빛이 닿는 곳은 주변보다 밝습니다.
② 빛이 닿는 곳 앞에 물체가 있으면 물체가 빛을 가려 빛이 닿지 않는 어두운 부분이 생깁니다.
➜ 이 부분이 그림자입니다.

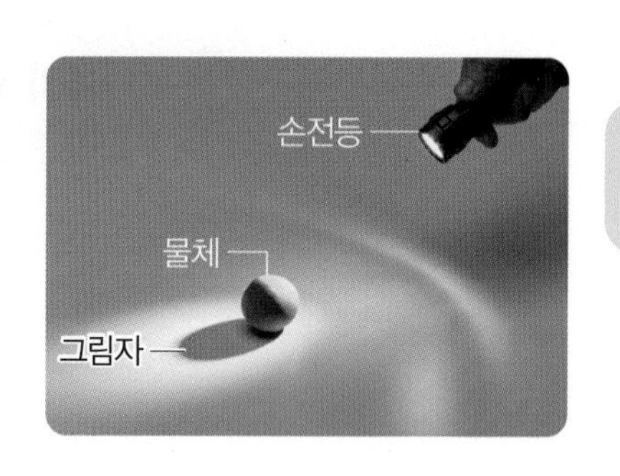

2 그림자가 생기는 조건

① 빛과 물체가 있어야 합니다.
② 물체를 바라보는 방향으로 빛을 비추어야 합니다.
➜ 물체의 뒤에 스크린이나 흰 종이를 대고 물체에 빛을 비추면 그림자가 생깁니다.

3 우리 주변의 그림자

운동장에 햇빛이 비치면 운동장에 있는 나무, 사람, 운동기구 주변에 그림자가 생깁니다.

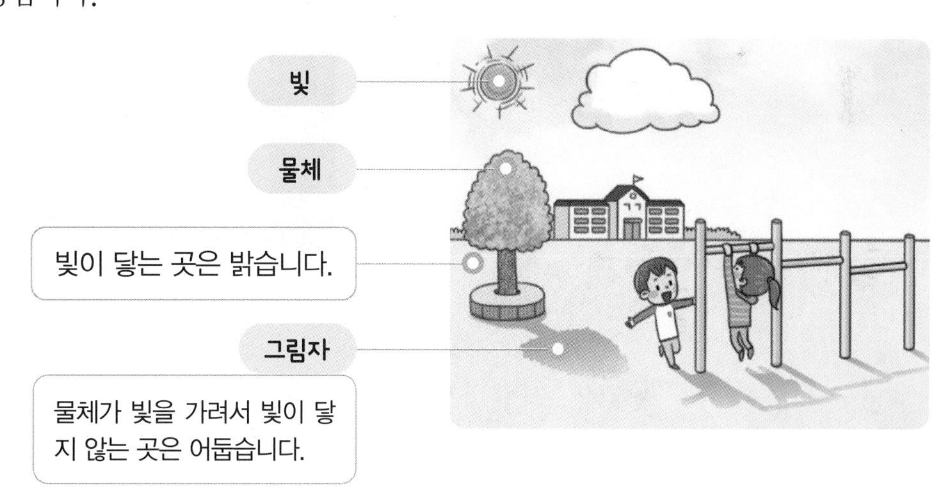

햇빛이 구름에 가리면 빛이 사라져서 그림자도 사라져요.

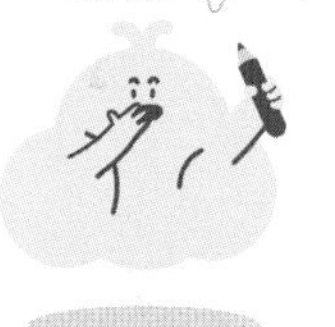

핵심 개념 확인하기

정답과 해설 • 8쪽

- **그림자가 생기는 원리**: 빛이 닿는 곳 앞에 물체가 있으면 물체가 빛을 가려 빛이 닿지 않는 어두운 곳이 생기는데, 이 부분이 ❶ ☐☐☐ 입니다.

- **그림자가 생기는 조건**
  - ❷ ☐ 과 ❸ ☐☐ 가 있어야 합니다.
  - ❹ ☐☐ 를 바라보는 방향으로 ❺ ☐ 을 비추어야 합니다.

문제로 완성하기

그림자가 생기는 원리

1 **다음과 같이 흰 종이와 공을 놓고 손전등 빛을 비추었을 때, 그림자가 생기는 위치를 골라 기호를 써 봅시다.**

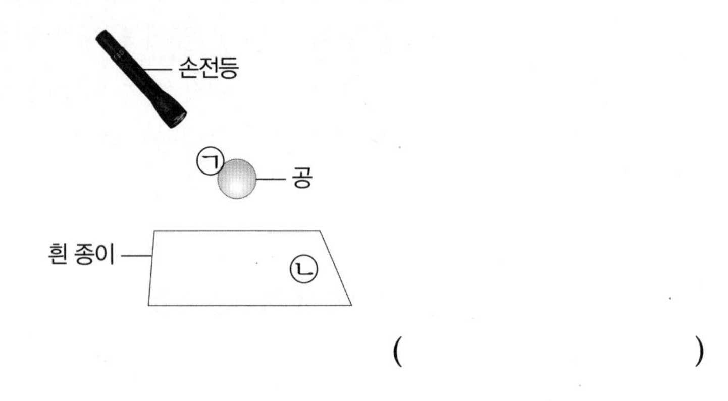

(　　　　　　　　　　)

그림자가 생기는 조건

2 **다음과 같이 흰 종이에 공의 그림자를 만들기 위해서 흰 종이 외에 필요한 것 <u>두 가지</u>를 써 봅시다.**

(　　　　　　,　　　　　　)

3 **물체의 그림자에 대한 설명으로 옳은 것은 어느 것입니까?** (　　　)

① 그림자는 물체의 앞쪽에 생긴다.
② 물체에 빛을 비추어야 그림자가 생긴다.
③ 물체만 있으면 반드시 그림자가 생긴다.
④ 흰 종이와 빛만 있으면 반드시 그림자가 생긴다.
⑤ 물체와 빛의 색깔이 같을 때만 그림자가 생긴다.

4 **물체와 스크린과 불을 켠 손전등으로 물체의 그림자가 생기도록 할 때, 그림자가 생기는 조건을 보기 에서 골라 기호를 써 봅시다.**

보기

㉠ 물체와 불을 켠 손전등 사이에 스크린을 놓습니다.
㉡ 불을 켠 손전등 앞에 물체와 스크린을 순서대로 놓습니다.
㉢ 불을 켠 손전등 뒤에 물체와 스크린을 순서대로 놓습니다.

(   )

5 **다음과 같이 공을 스크린 앞에 놓은 뒤 손전등 빛을 다양한 방향으로 비출 때, 스크린에 공의 그림자가 생기는 경우를 골라 기호를 써 봅시다.**

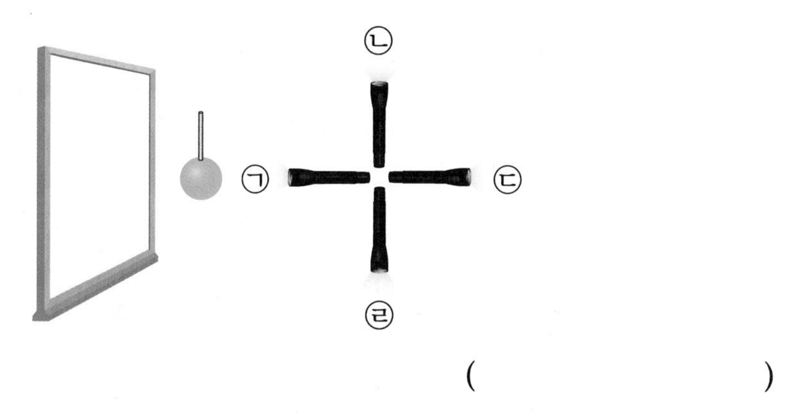

(   )

그림자가 생기는 예

6 **다음은 햇빛이 비칠 때와 구름이 햇빛을 가렸을 때 운동장의 모습입니다. 그림자가 생기는 경우를 골라 기호를 써 봅시다.**

(   )

12일차

투명한 물체와 불투명한 물체의 그림자

탐구로 시작하기 투명한 물체와 불투명한 물체의 그림자 비교하기

과정 및 결과

실험 동영상

1 스크린 앞에 유리컵을 놓고, 손전등으로 유리컵에 빛을 비추어 스크린에 생기는 그림자를 관찰해 봅시다.

➔ [+]투명한 유리컵에 손전등 빛을 비추면 연한 그림자가 생깁니다.

[+] **투명** 물체의 속까지 환히 비쳐 안까지 잘 보이는 것

다른 투명한 물체로는 유리창, 투명 플라스틱 컵, OHP 필름 등이 있어요.

2 스크린 앞에 도자기 컵을 놓고, 손전등으로 도자기 컵에 빛을 비추어 스크린에 생기는 그림자를 관찰해 봅시다.

➔ 불투명한 도자기 컵에 손전등 빛을 비추면 진한 그림자가 생깁니다.

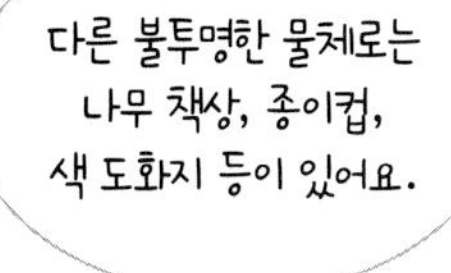

3 빛이 유리컵과 도자기 컵을 통과하는 정도를 비교해 봅시다.

유리컵	빛이 투명한 유리컵을 대부분 통과합니다.
도자기 컵	빛이 불투명한 도자기 컵을 통과하지 못합니다.

정리

유리컵과 도자기 컵의 그림자가 다른 까닭은 빛이 컵을 통과하는 정도와 어떤 관련이 있을까요?

➔ 유리컵은 빛이 대부분 통과하기 때문에 연한 그림자가 생깁니다. 도자기 컵은 빛이 통과하지 못하기 때문에 진한 그림자가 생깁니다.

개념 이해하기

1 투명한 물체와 불투명한 물체

① 투명한 물체: 유리컵, 투명 ⊕필름과 같이 빛이 대부분 통과하는 물체입니다.

② 불투명한 물체: 도자기 컵, 책과 같이 빛이 통과하지 못하는 물체입니다.

⊕ 필름 셀로판 같이 얇은 막

2 투명한 물체와 불투명한 물체의 그림자

투명한 물체

투명 필름	색이 없는 플라스틱 판

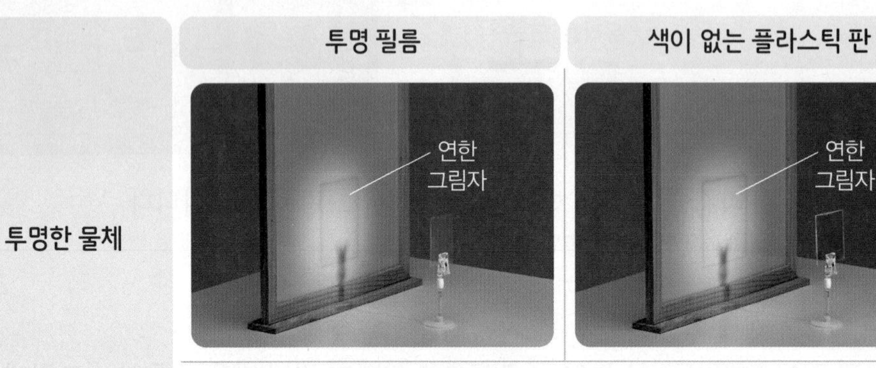

빛이 나아가다가 투명한 물체를 만나면 빛이 물체를 대부분 통과하여 연한 그림자가 생깁니다.

불투명한 물체

두꺼운 종이	지우개

빛이 나아가다가 불투명한 물체를 만나면 빛이 물체를 통과하지 못하여 진한 그림자가 생깁니다.

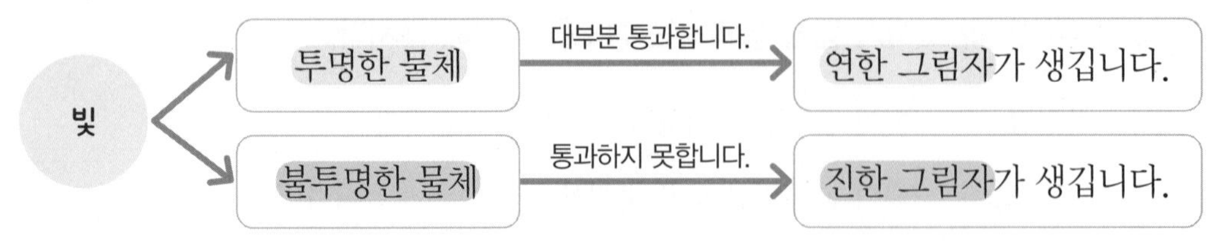

➜ 빛이 물체를 통과하는 정도에 따라 그림자의 진하기가 달라집니다.

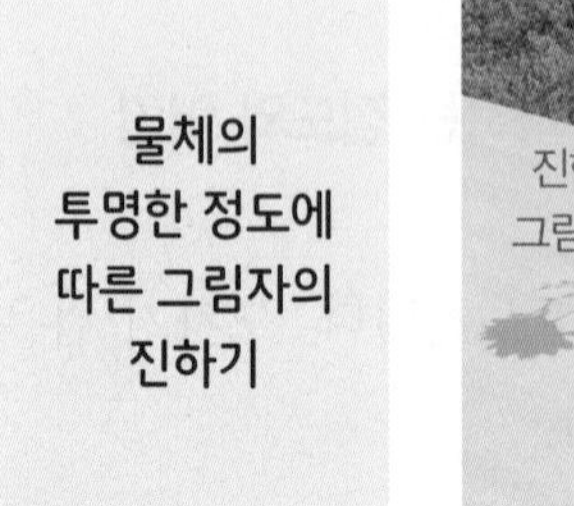

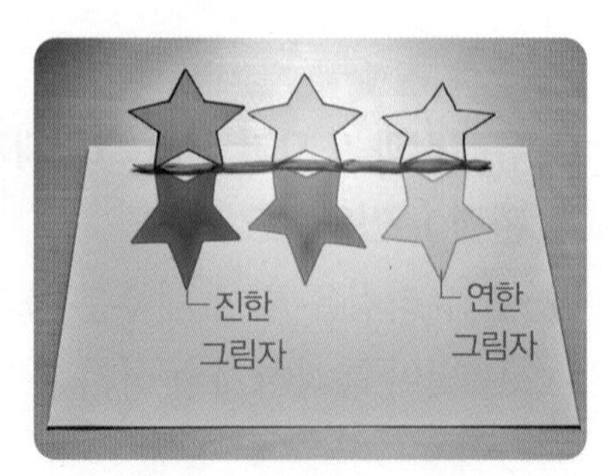

3 우리 주변에서 투명한 물체와 불투명한 물체의 그림자

안경

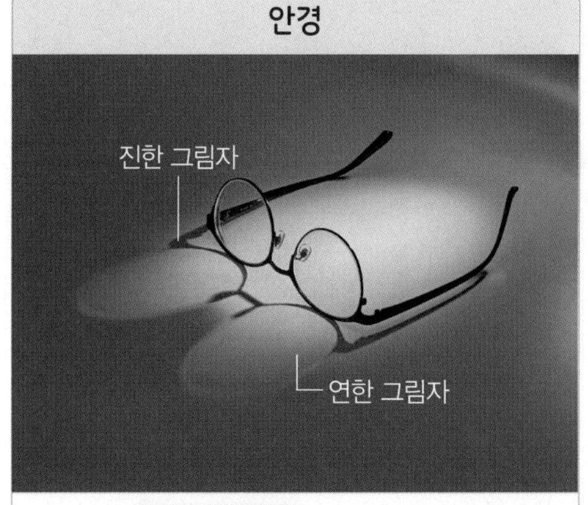

안경의 투명한 안경알은 빛이 대부분 통과하여 연한 그림자가 생기고, 불투명한 안경테는 빛이 통과하지 못하여 진한 그림자가 생깁니다.

창문

창문의 투명한 유리창은 빛이 대부분 통과하여 연한 그림자가 생기고, 불투명한 창틀은 빛이 통과하지 못하여 진한 그림자가 생깁니다.

우산

우산의 투명한 비닐은 빛이 대부분 통과하여 연한 그림자가 생기고, 불투명한 비닐은 빛이 통과하지 못하여 진한 그림자가 생깁니다.

우유가 담긴 유리컵

투명한 유리컵은 빛이 대부분 통과하여 연한 그림자가 생기고, 불투명한 우유는 빛이 통과하지 못하여 진한 그림자가 생깁니다.

핵심 개념 확인하기

정답과 해설 ● 8쪽

투명한 물체와 불투명한 물체의 그림자

투명한 물체	빛이 대부분 ❶ ☐☐ 합니다.	❷ ☐☐ 그림자가 생깁니다.
불투명한 물체	빛이 ❸ ☐☐ 하지 못합니다.	❹ ☐☐ 그림자가 생깁니다.

➜ 빛이 물체를 통과하는 정도에 따라 그림자의 ❺ ☐☐☐ 가 달라집니다.

우리 주변에서 투명한 물체와 불투명한 물체의 그림자

안경	안경알에는 ❻ ☐☐ 그림자가, 안경테에는 ❼ ☐☐ 그림자가 생깁니다.
창문	유리창에는 ❽ ☐☐ 그림자가, 창틀에는 ❾ ☐☐ 그림자가 생깁니다.

문제로 완성하기

투명한 물체와 불투명한 물체

1 빛이 통과하지 못하는 물체는 어느 것입니까? (　　　)

① 
▲ 무색 비닐

② ▲ 책

③ 
▲ 유리컵

④ ▲ 비닐 우산

⑤ ▲ 투명 플라스틱 컵

2~3 다음과 같이 손전등과 스크린 사이에 도자기 컵과 유리컵을 각각 놓고 손전등 빛을 비추어 스크린에 생긴 그림자를 관찰하려고 합니다.

㉠ 

㉡ 

투명한 물체와 불투명한 물체의 그림자

2 위 실험에서 진한 그림자가 생기는 경우를 골라 기호를 써 봅시다.

(　　　　　　　　)

3 위 실험에서 손전등 빛이 도자기 컵과 유리컵을 통과하는 정도를 비교한 내용으로 옳은 것을 보기 에서 골라 기호를 써 봅시다.

보기

㉠ 빛은 유리컵을 통과하지 못한다.
㉡ 빛은 유리컵을 대부분 통과한다.
㉢ 빛은 도자기 컵을 대부분 통과한다.
㉣ 빛은 도자기 컵과 유리컵을 모두 통과하지 못한다.

(　　　　　　　　)

4 **투명한 물체와 불투명한 물체에 생기는 그림자의 진하기를 찾아 선으로 연결해 봅시다.**

(1) 투명한 물체 •　　　　• ㉠ 진한 그림자

(2) 불투명한 물체 •　　　　• ㉡ 연한 그림자

> 그림자가 진하게 생기는 까닭

5 **불투명한 물체에 그림자가 진하게 생기는 까닭은 어느 것입니까?** (　　　)

① 빛이 밝기 때문이다.
② 빛이 물체를 통과하기 때문이다.
③ 물체가 빛을 모두 흡수하기 때문이다.
④ 빛이 물체를 통과하지 못하기 때문이다.
⑤ 빛이 물체를 지나면서 검게 변하기 때문이다.

> 우리 주변 물체에 생기는 그림자

6 **다음과 같이 안경에 생긴 그림자에 대한 설명으로 옳지 않은 것을 보기 에서 골라 기호를 써 봅시다.**

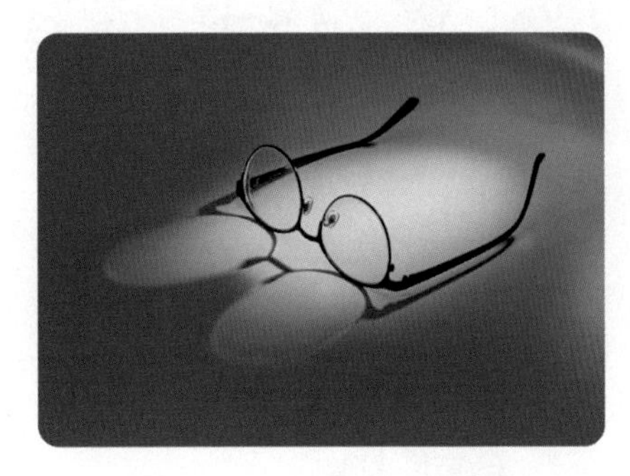

보기
㉠ 안경알은 빛이 대부분 통과한다.
㉡ 안경테는 빛이 통과하지 못한다.
㉢ 안경알에는 연한 그림자가 생긴다.
㉣ 안경테에는 그림자가 생기지 않는다.

(　　　　　　　　)

빛의 성질과 그림자의 모양

탐구로 시작하기 물체의 모양과 그림자의 모양 비교하기

1 **손전등, 모양 종이, 스크린을 차례대로 놓습니다.**

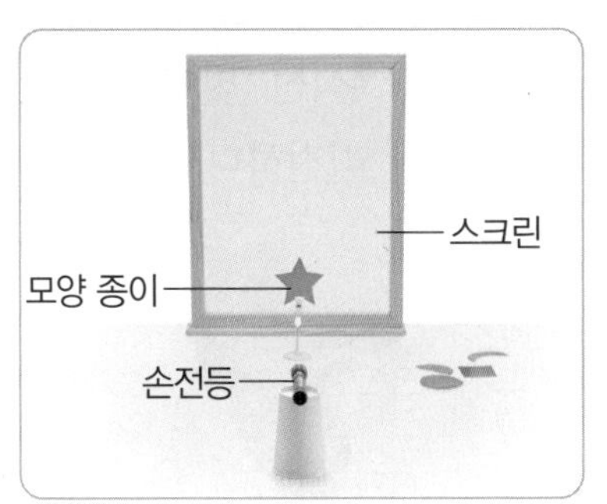

2 **손전등 빛을 모양 종이에 비추어 스크린에 생긴 그림자의 모양을 관찰해 봅시다.**

➜ 모양 종이의 모양과 그림자의 모양이 비슷합니다.

별 모양 종이	달 모양 종이	네모 모양 종이

별 모양 그림자	달 모양 그림자	네모 모양 그림자

3 **손전등, 컵, 스크린을 차례대로 놓고 손전등 빛을 컵에 비추어 그림자를 만들어 보고, 컵을 놓은 방향을 바꾸면서 그림자의 모양을 관찰해 봅시다.**

➜ 컵을 놓은 방향에 따라 그림자의 모양이 달라집니다. 빛이 컵에 닿은 모양과 그림자의 모양이 닮았습니다.

정리

- **물체의 모양과 그림자의 모양이 어떠한가요?**

➜ 물체의 모양과 그림자의 모양이 비슷합니다.

- **물체의 모양과 그림자의 모양이 비슷한 까닭은 무엇일까요?**

➜ 빛이 곧게 나아가다가 물체를 통과하지 못하기 때문입니다.

- **물체의 그림자는 모양이 항상 같을까요?**

➜ 물체를 빛 앞에 놓은 방향이 달라지거나 빛을 비추는 방향이 달라지면 그림자의 모양이 변하기도 합니다.

개념 이해하기

1 빛의 직진과 그림자

⊕ 직진 앞으로 곧게 나아가는 것

① 빛의 ⊕직진: 빛이 곧게 나아가는 성질입니다.

② 빛이 직진하다가 물체를 만나면 물체의 뒤쪽에 물체의 모양대로 그림자가 생깁니다.

태양이나 전등에서 나오는 빛은 사방으로 곧게 나아가요.

▲ 나무의 모양대로 그림자가 생깁니다.

▲ 자전거의 모양대로 그림자가 생깁니다.

③ 물체의 모양대로 그림자가 생기는 까닭

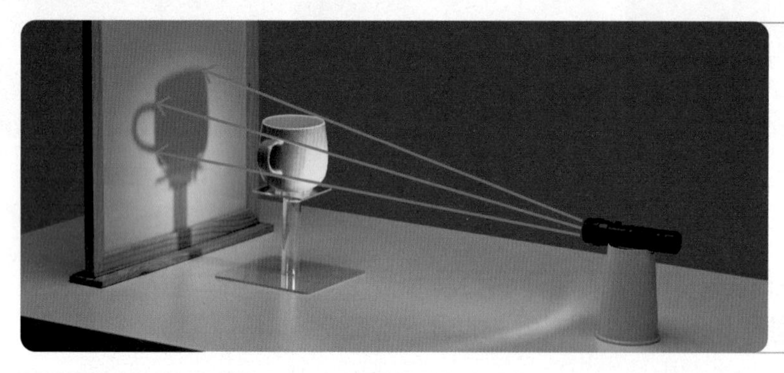

빛이 직진하다가 물체를 통과하지 못하기 때문에 물체의 모양대로 그림자가 생깁니다.

그림자는 물체가 직진하는 빛을 가려서 생기는 거예요.

빛의 직진과 구멍 뚫린 원통의 그림자

구분	원통의 그림자	빛이 나아가는 모습
빛이 나아가는 방향과 원통의 두 구멍이 ⊕일직선일 때 ⊕ **일직선** 한 방향으로 쭉 곧은 선	 그림자에 구멍이 보입니다.	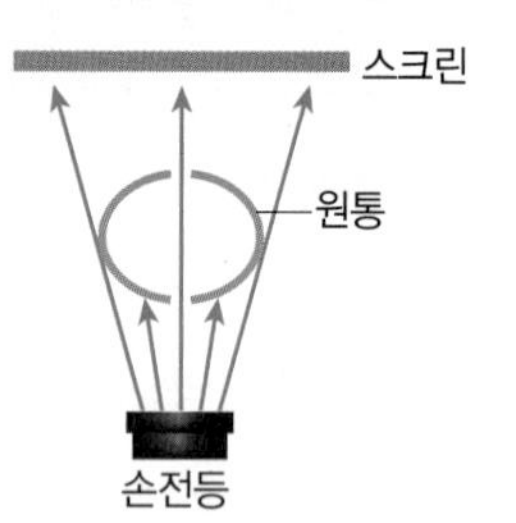 빛이 직진하여 구멍을 통과합니다.
빛이 나아가는 방향과 원통의 두 구멍이 일직선이 아닐 때	 그림자에 구멍이 보이지 않습니다.	 빛이 직진하여 구멍을 통과하지 못합니다.

2 물체를 놓은 방향과 그림자의 모양

같은 물체라도 물체를 놓은 방향에 따라 물체가 빛을 가리는 모양이 달라지면 그림자의 모양이 달라집니다.

컵을 다른 방향으로 놓았을 때

우유를 다른 방향으로 놓았을 때

둥근 기둥 모양 블록을 다른 방향으로 놓았을 때

둥근 기둥 모양 블록을 앞으로 기울이면 위쪽과 아래쪽에 둥근 모양의 그림자가 생겨요.

핵심 개념 확인하기

정답과 해설 • 8쪽

✔ **빛의** ❶ ☐☐: 빛이 곧게 나아가는 성질입니다.

✔ **그림자의 모양**

- 빛이 직진하다가 물체를 만나면 물체의 뒤쪽에 물체의 ❷ ☐☐대로 그림자가 생깁니다.
- 물체의 모양대로 그림자가 생기는 까닭은 빛이 ❸ ☐☐하다가 물체를 통과하지 못하기 때문입니다.

✔ **물체를 놓은 방향과 그림자의 모양**

같은 물체라도 물체를 놓은 ❹ ☐☐에 따라 물체가 빛을 가리는 모양이 달라지면 그림자의 모양이 달라집니다.

문제로 완성하기

> 그림자의 모양

1 오른쪽과 같이 손전등, 원 모양 종이, 스크린을 차례대로 놓고 손전등 빛을 비추었을 때, 스크린에 생긴 그림자의 모양을 보기 에서 골라 기호를 써 봅시다.

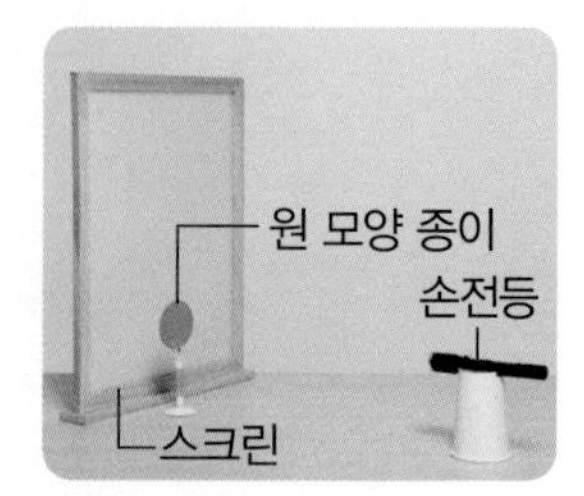

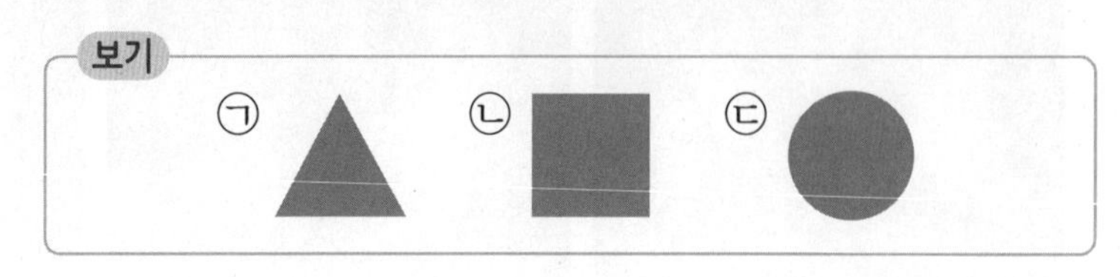

( )

2 여러 가지 모양 종이에 손전등 빛을 비추었을 때 스크린에 생긴 모양 종이의 그림자를 찾아 선으로 연결해 봅시다.

(1) 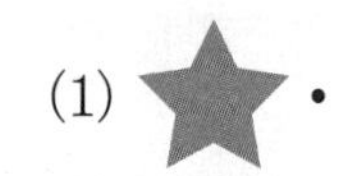 · · ㉠ 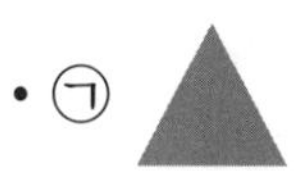

(2) 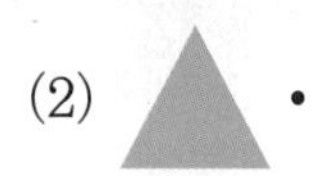 · · ㉡ 

(3) 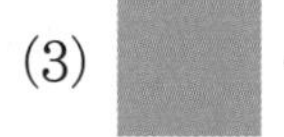 · · ㉢

> 빛의 직진과 그림자의 모양

3 물체의 모양과 그림자의 모양이 비슷한 까닭은 어느 것입니까? ( )

① 빛이 곧게 나아가기 때문이다.
② 빛이 휘어져 나아가기 때문이다.
③ 빛이 한 곳으로 모이기 때문이다.
④ 빛이 사방으로 퍼져 없어지기 때문이다.
⑤ 빛이 나아가는 방향이 정해져 있지 않기 때문이다.

물체를 놓은 방향과 그림자의 모양

4 오른쪽은 어떤 물체를 여러 방향으로 놓고 손전등을 켰을 때 스크린에 생긴 그림자의 모양입니다. 이 물체를 보기 에서 골라 기호를 써 봅시다.

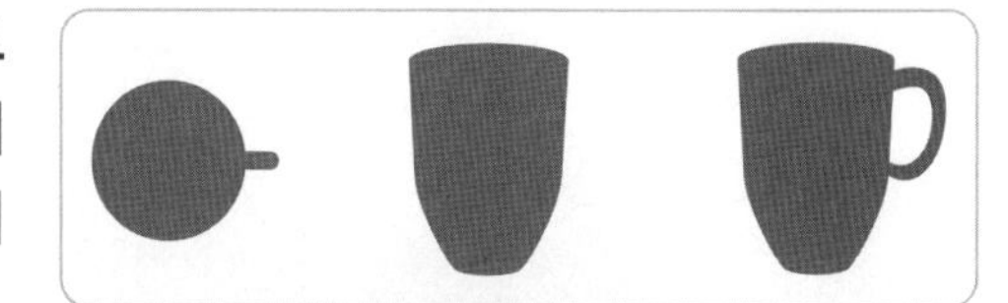

( )

5 오른쪽과 같이 우유를 놓고 손전등 빛을 비추어서 스크린에 그림자를 만들 때, 그림자의 모양으로 옳은 것을 보기 에서 골라 기호를 써 봅시다.

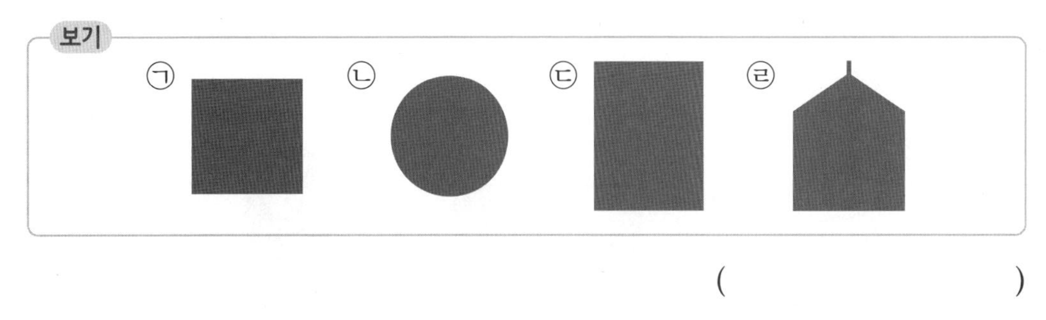

( )

6 오른쪽과 같은 둥근 기둥 모양 블록을 놓고 빛을 비추었을 때 생길 수 있는 그림자의 모양이 아닌 것을 보기 에서 골라 기호를 써 봅시다.

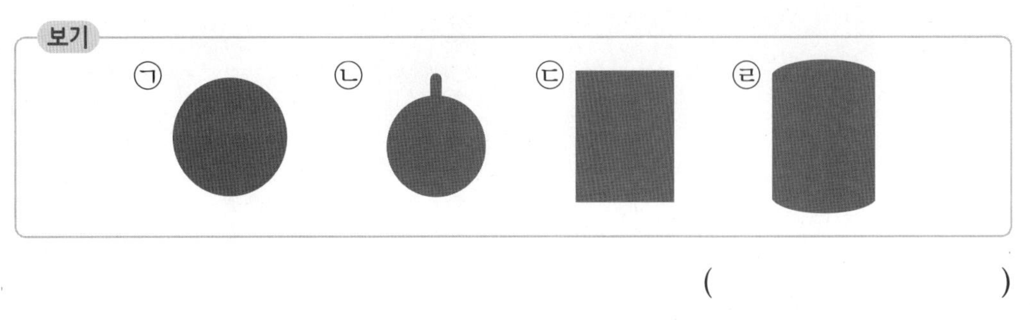

( )

14일차

그림자의 크기

탐구로 시작하기 그림자의 크기 변화 관찰하기

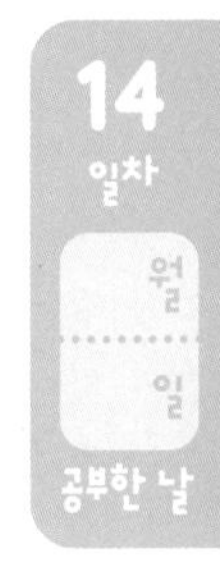

실험 동영상

1 **스크린 앞에 인형을 놓고 손전등으로 빛을 비추어 스크린에 인형의 그림자가 생기도록 합니다.**

2 **스크린과 인형은 그대로 두고 손전등을 인형에 가깝게 할 때와 인형에서 멀게 할 때 그림자의 크기 변화를 관찰해 봅시다.**

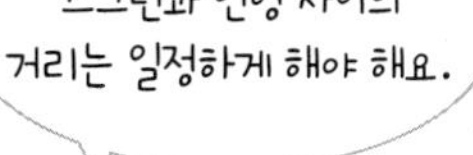

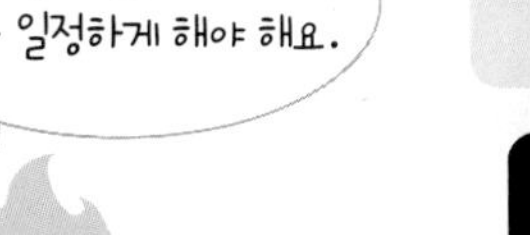

손전등을 인형에 가깝게 할 때	손전등을 인형에서 멀게 할 때

그림자의 크기가 커집니다.	그림자의 크기가 작아집니다.

3 **스크린과 손전등은 그대로 두고 인형을 손전등에 가깝게 할 때와 손전등에서 멀게 할 때 그림자의 크기 변화를 관찰해 봅시다.**

스크린과 손전등 사이의 거리는 일정하게 해야 해요.

인형을 손전등에 가깝게 할 때	인형을 손전등에서 멀게 할 때

그림자의 크기가 커집니다.	그림자의 크기가 작아집니다.

정리

- **손전등과 물체 사이의 거리에 따라 그림자의 크기는 어떻게 변할까요?**

➔ 손전등과 물체 사이의 거리를 가깝게 하면 그림자의 크기가 커지고, 손전등과 물체 사이의 거리를 멀게 하면 그림자의 크기가 작아집니다.

- **손전등과 물체를 그대로 두고 그림자가 커지게 하는 방법은 무엇일까요?**

➔ 손전등과 물체는 그대로 두고 스크린을 물체에서 멀게 합니다.

개념 이해하기

1 그림자의 크기 변화

물체와 손전등과 스크린 사이의 거리를 다르게 하면 그림자의 크기가 변합니다.

① 물체와 스크린은 그대로 두고 손전등을 움직일 때: 손전등을 물체에 가까이 하면 그림자의 크기가 커지고, 물체에서 멀리 하면 그림자의 크기가 작아집니다.

손전등을 물체에 가까이 할 때	손전등을 물체에서 멀리 할 때
손전등의 처음 위치	손전등의 처음 위치
➜ 그림자의 크기가 커집니다.	➜ 그림자의 크기가 작아집니다.

② 손전등과 스크린은 그대로 두고 물체를 움직일 때: 물체를 손전등에 가까이 하면 그림자의 크기가 커지고, 손전등에서 멀리 하면 그림자의 크기가 작아집니다.

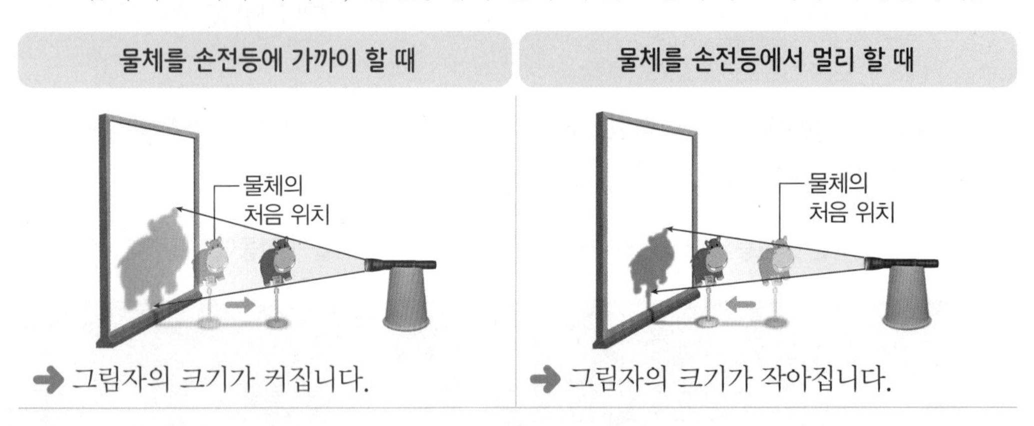

③ 물체와 손전등을 그대로 두고 스크린을 움직일 때: 스크린을 물체에 가까이 하면 그림자의 크기가 작아지고, 물체에서 멀게 하면 그림자의 크기가 커집니다.

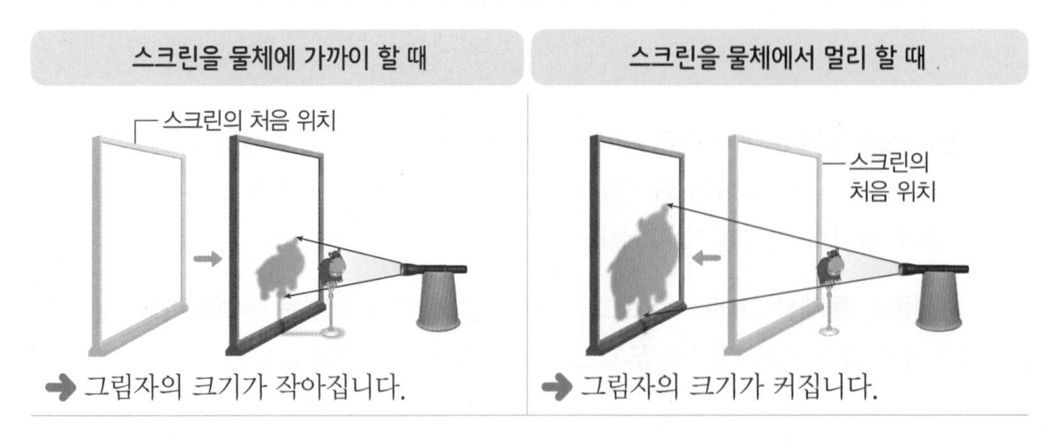

손전등과 물체 사이의
거리가 가까워지면
그림자가 커져요.

그림자가 커지게 하는 방법

- 물체와 스크린을 그대로 둘 때: 손전등을 물체에 가까이 합니다.
- 손전등과 스크린을 그대로 둘 때: 물체를 손전등에 가까이 합니다.
- 물체와 손전등을 그대로 둘 때: 스크린을 물체에서 멀리 합니다.

14 일차

2 그림자를 이용한 재미있는 사진 찍기

손전등과 물체 사이의 거리에 따라 그림자의 크기가 변하는 것을 이용하여 재미있는 사진을 찍을 수 있습니다.

한 명은 손전등 가까이에서 손으로 집어 올리는 것처럼 손 모양을 하고, 다른 한 명은 그림자에 ⊕매달린 것처럼 서 있습니다.

한 명은 손전등 가까이에서 풍선을 들고 있고, 다른 한 명은 풍선 그림자를 부는 것처럼 합니다.

⊕ **매달리다** 어떤 것을 붙잡고 늘어지는 것

핵심 개념 확인하기

정답과 해설 ● 9쪽

✔ 그림자의 크기 변화

물체와 스크린은 그대로 두고 손전등을 움직일 때	손전등을 물체에 가까이 할 때	그림자의 크기가 ❶ ☐ 집니다.
	손전등을 물체에서 멀리 할 때	그림자의 크기가 ❷ ☐☐ 집니다.
손전등과 스크린은 그대로 두고 물체를 움직일 때	물체를 손전등에 ❸ ☐☐☐ 할 때	그림자의 크기가 커집니다.
	물체를 손전등에서 ❹ ☐☐ 할 때	그림자의 크기가 작아집니다.
물체와 손전등은 그대로 두고 스크린을 움직일 때	스크린을 물체에 가까이 할 때	그림자의 크기가 ❺ ☐☐ 집니다.
	스크린을 물체에서 멀리 할 때	그림자의 크기가 ❻ ☐ 집니다.

문제로 완성하기

손전등의 위치와 그림자의 크기

1 다음과 같이 물체와 스크린은 그대로 두고 손전등의 위치를 다르게 하여 물체에 빛을 비출 때, 그림자의 크기가 가장 작은 손전등의 위치를 골라 기호를 써 봅시다.

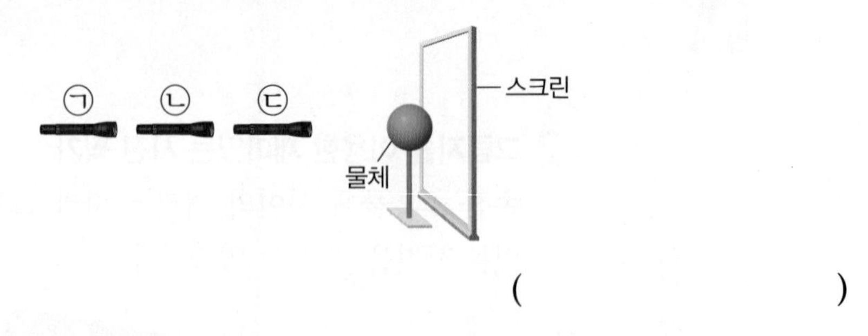

( )

2~3 다음과 같이 물체와 스크린은 그대로 두고 손전등을 움직이면서 그림자의 크기 변화를 관찰하였습니다.

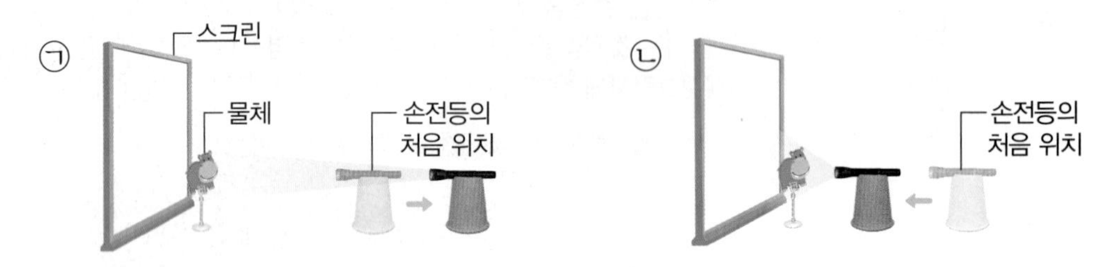

2 ㉠과 ㉡에서 그림자의 크기가 어떻게 변하는지 각각 써 봅시다.

㉠: ( )진다. ㉡: ( )진다.

3 위 실험을 통하여 알 수 있는 사실로 옳은 것은 어느 것입니까? ( )

① 물체의 크기에 따라 그림자의 크기가 달라진다.
② 손전등을 물체에서 멀리 하면 그림자의 크기가 커진다.
③ 손전등을 물체에 가까이 하면 그림자의 크기가 작아진다.
④ 손전등과 물체 사이의 거리에 따라 그림자의 크기가 달라진다.
⑤ 손전등과 물체 사이의 거리에 관계없이 그림자의 크기는 항상 같다.

물체의 위치와 그림자의 크기

4 손전등과 스크린은 그대로 두고 물체를 움직일 때, 스크린에 생기는 그림자의 크기가 가장 큰 것을 보기 에서 골라 기호를 써 봅시다.

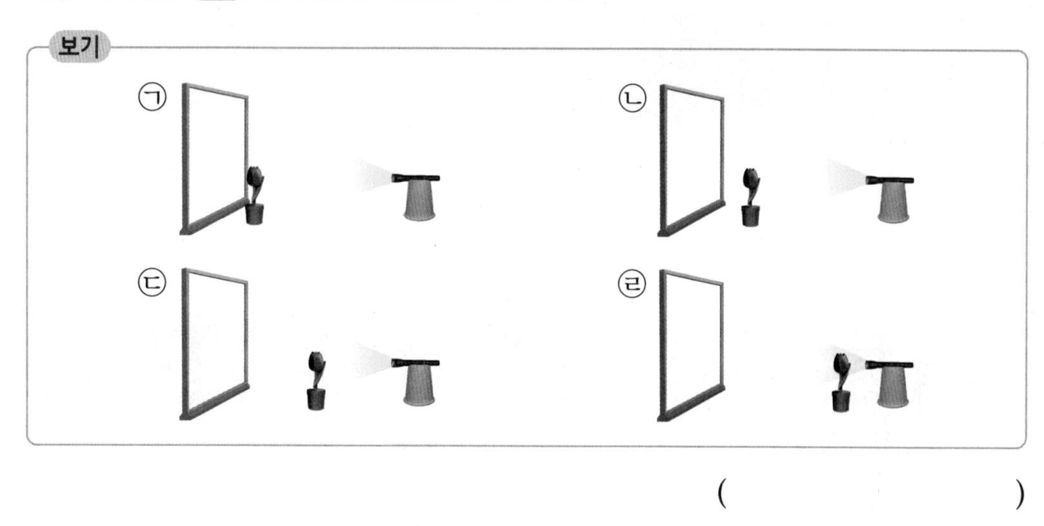

( )

5 다음은 손전등과 스크린은 그대로 두고 물체를 움직일 때 그림자의 크기 변화에 대한 설명입니다. ( ) 안에 알맞은 말을 옳게 짝 지은 것은 어느 것입니까? ( )

물체를 손전등에 가까이 하면 그림자의 크기가 (㉠), 물체를 손전등에서 멀리 하면 그림자의 크기가 (㉡).

	㉠	㉡		㉠	㉡
①	커지고	커진다	②	커지고	작아진다
③	작아지고	커진다	④	작아지고	변하지 않는다
⑤	변하지 않고	작아진다			

그림자의 크기 변화

6 그림자의 크기 변화가 나머지와 다른 것을 보기 에서 골라 기호를 써 봅시다.

보기
㉠ 물체와 스크린은 그대로 두고, 손전등을 물체에 가까이 한다.
㉡ 물체와 손전등은 그대로 두고, 스크린을 물체에 가까이 한다.
㉢ 손전등과 스크린은 그대로 두고, 물체를 손전등에 가까이 한다.

( )

거울에 비친 물체의 모습

거울에 비친 내 모습과 실제
내 모습을 비교해보면 어떨까요?

거울에 비친 나는 어느 쪽 손으로
양치질을 하고 있을까요?

탐구로 시작하기 물체의 모습과 거울에 비친 모습 비교하기

거울에 비친 인형의 모습 관찰하기

1 ⁺거울을 ⁺수직으로 세우고 거울 앞에 인형을 놓습니다.

⊕ **거울** 물체의 모양을 비추어 보는 물건
⊕ **수직** 두 직선이 직각으로 만나는 상태

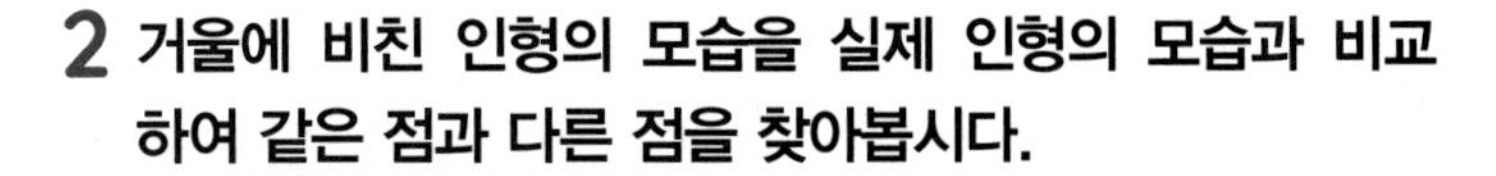

2 거울에 비친 인형의 모습을 실제 인형의 모습과 비교하여 같은 점과 다른 점을 찾아봅시다.

같은 점	다른 점
• 실제 인형과 색깔이 같습니다. • 인형의 상하가 그대로입니다.	• 실제 인형은 오른손을 들었는데 거울에 비친 인형은 왼손을 들었습니다. • 숫자의 좌우가 바뀌어 보입니다.

거울에 비친 글자의 모습 관찰하기

1 거울을 수직으로 세우고 거울 앞에 글자를 쓴 종이를 세웁니다.

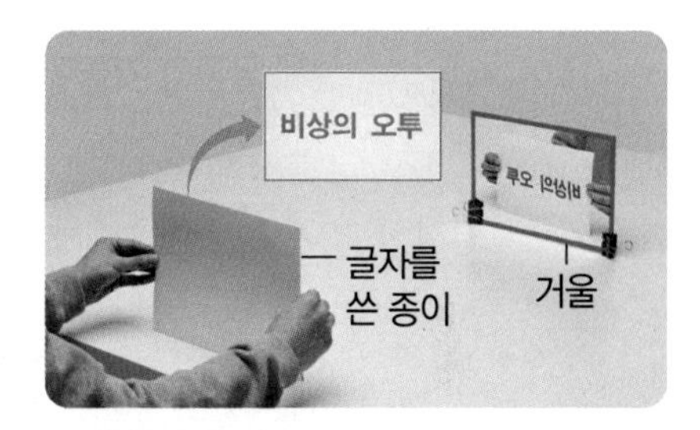

2 거울에 비친 글자의 모습을 실제 글자의 모습과 비교해 봅시다.

실제 글자 모습	거울에 비친 글자 모습
비상의 오투	쿠오 ㅣ은싱ㅂ (좌우가 바뀐 글자)

3 거울에 비친 글자의 모습을 실제 글자의 모습과 비교하여 같은 점과 다른 점을 찾아봅시다.

같은 점	다른 점
• 글자의 색깔이 같습니다. • 글자의 상하가 그대로입니다.	• 글자의 좌우가 바뀌어 보입니다. • 글자의 순서가 반대로 나타납니다.

정리

거울에 비친 물체의 모습은 어떻게 보이나요?

➔ 거울에 비친 물체의 색깔은 실제 물체의 색깔과 같습니다.

➔ 물체의 상하는 그대로이지만 좌우는 바뀌어 보입니다.

개념 이해하기

1 실제 물체의 모습과 거울에 비친 물체의 모습 비교

① 같은 점: 색깔이 같고, 상하가 바뀌어 보이지 않습니다.

② 다른 점: 좌우가 바뀌어 보입니다.

2 거울에 비친 글자와 숫자가 바르게 보이도록 하는 방법

글자와 숫자의 좌우를 바꾸어 쓰고 거울에 비추어 보면 글자와 숫자가 바르게 보입니다.

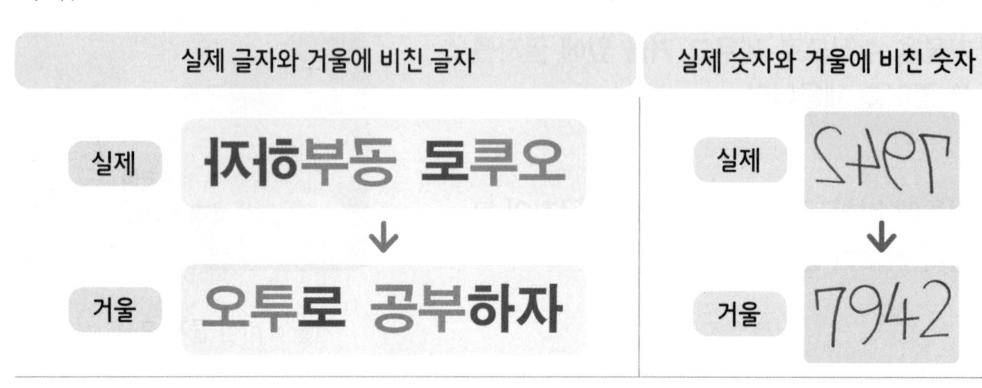

① 원래 모양과 거울에 비친 모양이 같은 글자: '모, 오, 몸, 봄, 표, 무, 부, 후, 응' 등이 있습니다.

② 원래 모양과 거울에 비친 모양이 같은 숫자: '0, 1, 8'이 있습니다.

원래 모양과 거울에 비친 모양이 같은 글자는 좌우를 바꾸어도 모양이 똑같아요.

3 실제 시계의 모습과 거울에 비친 시계의 모습 비교

① 같은 점: 색깔이 같고, 상하가 바뀌어 보이지 않습니다.

② 다른 점: 좌우가 바뀌어 보이고, 시계 바늘이 반대 방향으로 돌아갑니다.

실제 시계의 모습	거울에 비친 시계의 모습
시계 바늘이 오른쪽 방향으로 돌아갑니다.	시계 바늘이 왼쪽 방향으로 돌아갑니다.

4 구급차에 '119 구급대'를 좌우로 바꾸어 쓴 까닭

앞서가는 자동차의 운전자가 거울로 '대급구 911' 글자를 보았을 때 글자가 바르게 보이도록 하기 위해서입니다.

▲ 자동차 뒷거울에서 본 모습

▲ 손거울로 비춰 본 모습

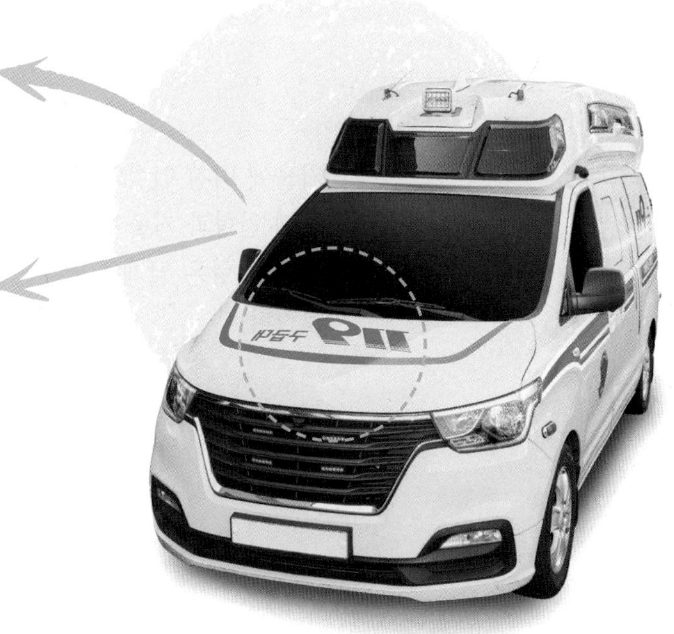

▲ 구급차

핵심 개념 확인하기

정답과 해설 • 9쪽

✔ 실제 물체의 모습과 거울에 비친 물체의 모습 비교

공통점	• 거울에 비친 물체의 색깔은 실제 물체의 색깔과 ❶ □□□□. • 거울에 비친 물체의 ❷ □□가 바뀌어 보이지 않습니다.
차이점	거울에 비친 물체의 ❸ □□가 바뀌어 보입니다.

✔ 거울에 비친 글자와 숫자가 바르게 보이도록 하는 방법

- 글자와 숫자의 ❹ □□를 바꾸어 쓰고 거울에 비추어 보면 글자와 숫자가 바르게 보입니다.
- 글자 중에는 '모, 오, 봄'처럼 원래 모양과 거울에 비친 모양이 같은 글자도 있습니다.
- 숫자 중에는 '0, 1, ❺ □'처럼 원래 모양과 거울에 비친 모양이 같은 숫자도 있습니다.

✔ 실제 시계의 모습과 거울에 비친 시계의 모습 비교: 시계의 좌우가 바뀌어 보이고, 시계 바늘이 ❻ □□ 방향으로 돌아갑니다.

✔ 구급차에 글자를 좌우로 바꾸어 쓴 까닭: 앞서가는 자동차의 운전자가 ❼ □□로 글자를 보았을 때 글자가 바르게 보이도록 하기 위해서입니다.

문제로 완성하기

거울에 비친 물체의 모습

1 **오른쪽과 같이 인형을 거울에 비추었을 때 거울에 비친 인형의 모습에 대한 설명으로 옳지 <u>않은</u> 것을 보기 에서 골라 기호를 써 봅시다.**

보기
- ㉠ 거울에 비친 인형의 색깔은 실제 인형의 색깔과 같다.
- ㉡ 실제 인형과 거울에 비친 인형이 위로 올린 날개의 위치는 반대이다.
- ㉢ 실제 인형은 날개를 위로 올렸는데, 거울에 비친 인형은 날개를 위로 올리지 않았다.

( )

거울에 비친 글자의 모습

2 **오른쪽 글자 카드를 거울에 비추어 볼 때 보이는 모습으로 옳은 것은 어느 것입니까?** ( )

토마토

① 토마토 ② 코ㅓ口코 ③ ㅓ口코ㅓ口 ④ 코ㅓ口코 (상하 반전) ⑤ 마토마

3 **글자를 거울에 비추어 볼 때 글자가 바르게 보이도록 하는 방법을 옳게 말한 사람의 이름을 써 봅시다.**

- 효원: 글자의 상하를 바꾸어 쓰면 돼.
- 지후: 글자의 좌우를 바꾸어 써야 해.
- 현진: 글자의 상하좌우를 바꾸어 써야지.

( )

4 **원래 모양과 거울에 비친 모양이 같은 글자로 옳지 않은 것은 어느 것입니까?** ( )

① 응 ② 후 ③ 표 ④ 형 ⑤ 봄

15 일차

거울에 비친 시계의 모습

5 **오른쪽과 같이 거울에 비추어 본 시계가 가리키는 시각은 몇 시일까요?** ( )

① 2시 ② 4시 ③ 7시
④ 8시 ⑤ 10시

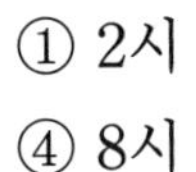

구급차에 글자를 좌우로 바꾸어 쓴 까닭

6 **다음은 구급차에 글자를 좌우로 바꾸어 쓰는 까닭을 설명한 것입니다. ( ) 안에 알맞은 말을 옳게 짝 지은 것은 어느 것입니까?** ( )

> 자동차를 운전하는 사람이 자동차의 (㉠)을 통해 구급차에 쓰여 있는 글자를 보면 (㉡)가 바뀌어서 바르게 보이기 때문에 글자를 좌우로 바꾸어 쓴다.

	㉠	㉡		㉠	㉡
①	창문	좌우	②	창문	상하
③	뒷거울	좌우	④	뒷거울	상하
⑤	뒷거울	상하좌우			

16일차

거울과 빛의 반사

탐구로 시작하기 빛이 거울에 부딪쳐 나아가는 모습 관찰하기

실험 동영상

활동 1 빛이 거울에 부딪쳐 나아가는 모습 관찰하기

1 흰 종이를 깔고 거울을 수직으로 세운 뒤 손전등의 불을 켭니다.

2 손전등 빛이 거울의 아랫부분에 닿도록 손전등 빛을 비추면서 빛이 나아가는 모습을 관찰해 봅시다.

> 손전등 빛이 책상 면을 따라 나아가 거울의 아랫부분에 닿도록 비추어야 빛이 나아가는 모습을 잘 관찰할 수 있어요.

→

→ 빛이 나아가다가 거울에 부딪치면 거울에서 빛의 방향이 바뀌어 나아갑니다.

3 거울 앞에 숫자 종이를 원하는 위치에 모두 세웁니다.

4 숫자 종이에 번호대로 빛이 비치도록 손전등을 움직여서 거울에 빛을 비추어 봅시다.

> 거울에 빛을 비추는 방향을 다르게 하면 거울에 부딪친 빛이 나아가는 방향도 달라져요.

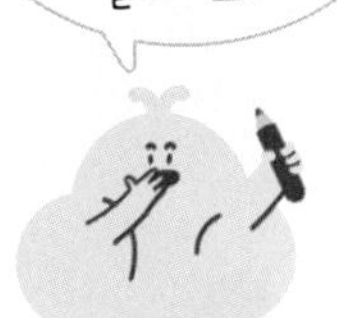

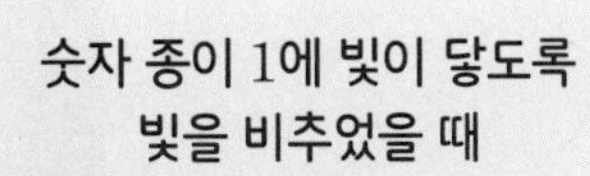

숫자 종이 1에 빛이 닿도록 빛을 비추었을 때	숫자 종이 2에 빛이 닿도록 빛을 비추었을 때	숫자 종이 3에 빛이 닿도록 빛을 비추었을 때
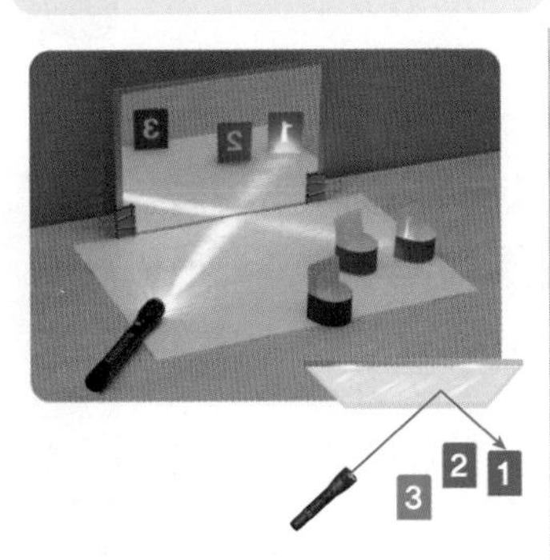		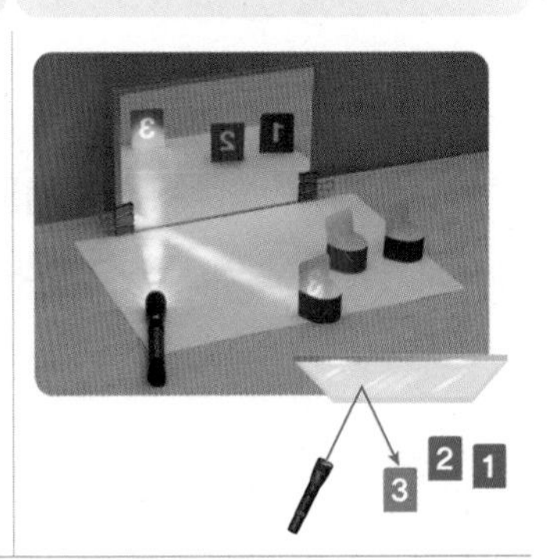

정리

- **빛이 거울에 부딪치면 어떻게 나아가나요?**

  → 빛이 거울에 부딪치면 거울에서 빛의 방향이 바뀌어 나아갑니다.

- **거울에 부딪친 빛이 나아가는 방향을 바꾸는 방법은 무엇일까요?**

  → 거울에 빛을 비추는 방향을 다르게 비춥니다.

활동 2 종이 상자 속 깃발에 빛을 보내기

1 **두 번 꺾인 종이 상자의 중간 부분과 끝 부분에 빨간색 깃발과 파란색 깃발을 각각 그립니다.**

2 **종이 상자 입구에 손전등 빛을 비추어 봅시다.**

➜ 빨간색 깃발과 파란색 깃발까지 빛을 보낼 수 없습니다.

빛이 직진하다가 종이 상자 벽면에 부딪힙니다.

3 **거울 한 개를 이용하여 빨간색 깃발에 손전등 빛을 보내고, 빛이 나아가는 모습을 관찰해 봅시다.**

➜ 거울에서 빛의 방향이 바뀌어 빨간색 깃발까지 빛을 보낼 수 있습니다.

4 **거울 두 개를 이용하여 파란색 깃발에 손전등 빛을 보내고, 빛이 나아가는 모습을 관찰해 봅시다.**

➜ 두 개의 거울에서 빛의 방향이 두 번 바뀌어 파란색 깃발까지 빛을 보낼 수 있습니다.

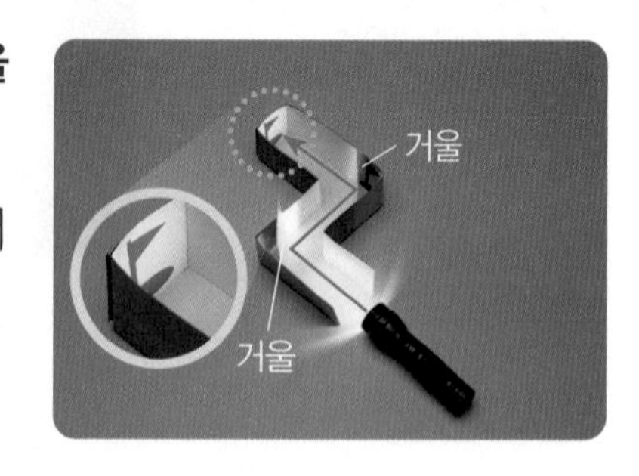

정리

- **손전등 빛이 파란색 깃발까지 어떻게 나아갈까요?**

➜ 첫 번째 거울과 두 번째 거울에서 손전등 빛의 방향이 바뀌어 파란색 깃발까지 손전등 빛이 나아갑니다.

- **빛을 보내기 어려운 곳에 빛을 보내는 방법은 무엇일까요?**

➜ 거울을 이용해 빛의 방향을 바꾸어 빛을 보냅니다.

개념 이해하기

1 빛의 반사

빛이 거울에 부딪쳐 나아가는 방향이 바뀌는 성질입니다.

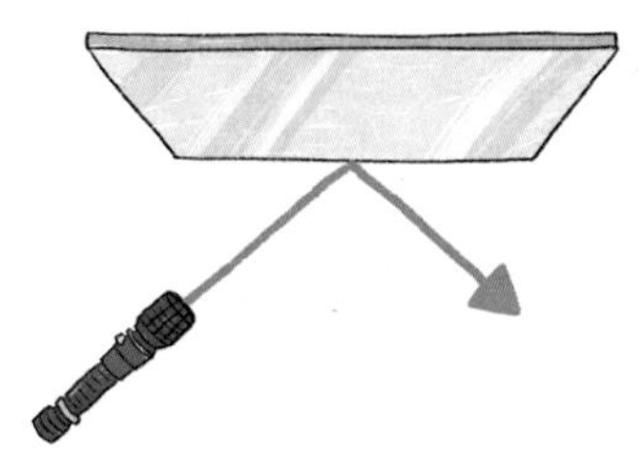

▲ 빛이 거울에서 반사되는 모습

2 빛의 반사와 거울

거울의 위치와 방향을 바꾸면 반사된 빛이 나아가는 방향을 바꿀 수 있어요.

① 거울: 빛의 반사를 이용하여 물체의 모습을 비추는 도구입니다.

② 거울을 사용하면 자신의 모습을 보거나 보이지 않는 곳에 있는 물체의 모습을 볼 수 있습니다.

3 거울을 이용하여 원하는 곳에 빛을 보내기

① 거울을 사용하면 빛을 보내기 어려운 곳에 빛을 보낼 수 있습니다.

② 자연 ⊕채광 장치: 거울로 빛을 반사하여 햇빛이 들지 않는 곳에 햇빛을 보내는 장치입니다.

⊕ **채광** 햇빛을 비롯한 빛이 잘 들어와 특정 공간이 따뜻해지거나 환해지는 일

⊕ **과녁판** 활이나 총을 쏠 때 목표로 만들어 놓은 판

거울

우리 집

▲ 자연 채광 장치

거울 두 개를 이용하여 ⊕과녁판에 빛을 보내기

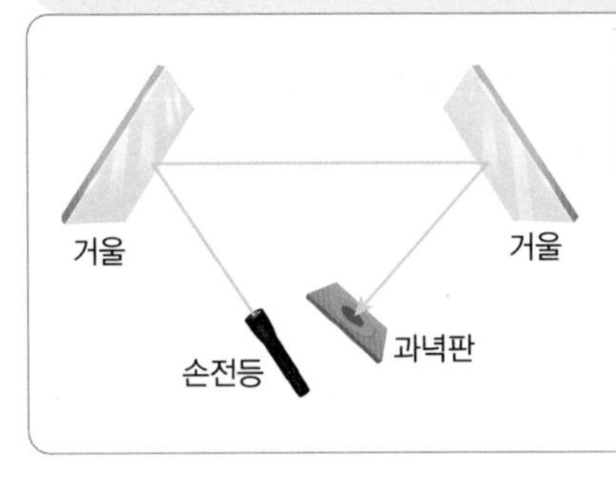

첫 번째 거울에서 빛의 방향이 바뀌고, 두 번째 거울에서도 빛의 방향이 바뀌어 빛을 과녁판으로 보낼 수 있습니다.

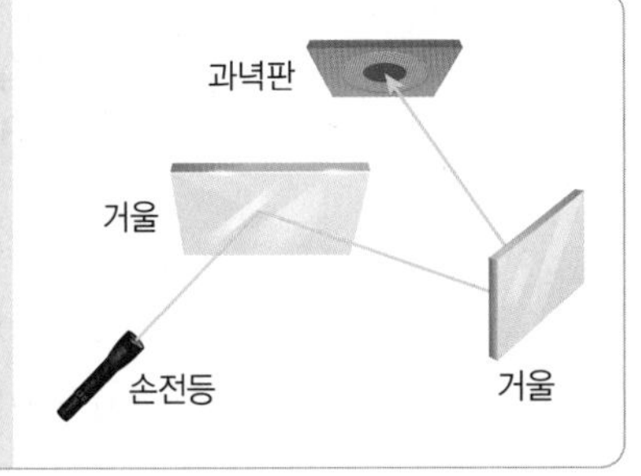

핵심 개념 확인하기

정답과 해설 ● 10쪽

✔ **빛의 반사와 거울**

- **빛의 반사**: 빛이 거울에 부딪쳐 나아가는 ❶ ☐☐이 바뀌는 성질입니다.
- **거울**: 빛의 ❷ ☐☐를 이용하여 물체의 모습을 비추는 도구입니다.
- ❸ ☐☐을 사용하면 자신의 모습이나 보이지 않는 곳에 있는 물체의 모습을 볼 수 있습니다.

✔ **거울을 이용하여 원하는 곳에 빛을 보내기**: ❹ ☐☐을 사용하면 원하는 곳에 빛을 보낼 수 있습니다.

문제로 완성하기

빛의 반사

1 손전등 빛을 거울에 비추었을 때 손전등 빛이 나아가는 모습으로 옳은 것을 보기 에서 골라 기호를 써 봅시다.

보기

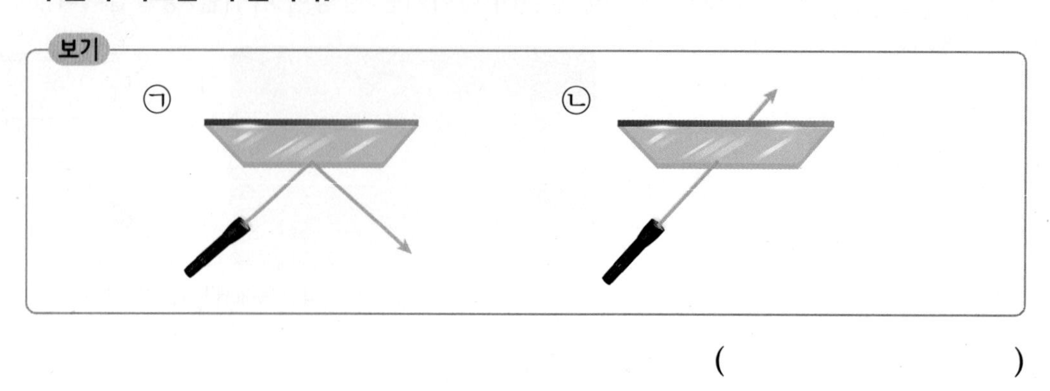

( )

2~3 다음과 같이 흰 종이를 책상에 깔아 놓고 거울을 수직으로 세운 뒤 거울에 손전등 빛을 비추었습니다.

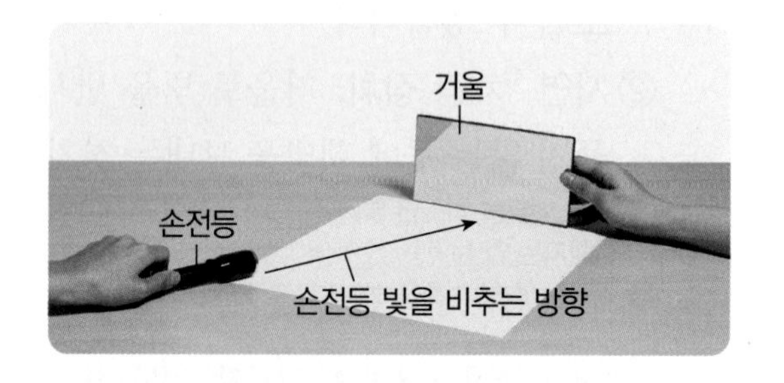

빛의 반사와 거울

2 위와 같이 손전등 빛을 거울에 비추었을 때 빛이 나아가는 모습에 대한 설명으로 옳은 것은 어느 것입니까? ( )

① 빛이 거울을 통과한다.
② 빛이 거울에 흡수된다.
③ 빛이 거울을 돌아 나아간다.
④ 빛이 거울에 부딪쳐 더 밝아진다.
⑤ 빛이 거울에 부딪쳐 방향이 바뀐다.

3 위 실험과 관련 있는 빛의 성질은 어느 것입니까? ( )

① 빛의 반사 ② 빛의 직진 ③ 빛의 흡수
④ 빛의 흩어짐 ⑤ 빛의 휘어짐

4 다음 ( ) 안에 알맞은 말을 각각 옳게 짝 지은 것은 어느 것입니까? ( )

- (㉠)은/는 빛의 반사를 이용해 물체의 모습을 비추는 도구이다.
- (㉠)에 빛이 부딪치면 빛의 (㉡)을 바꿀 수 있다.

	㉠	㉡
①	거울	방향
②	거울	색깔
③	유리	방향
④	유리	색깔
⑤	자석	방향

빛을 원하는 곳에 보내기

5 거울을 이용하여 손전등 빛을 과녁판의 가운데에 보낼 때, 거울의 위치와 빛이 나아가는 길을 옳게 나타낸 것을 보기 에서 골라 기호를 써 봅시다.

보기

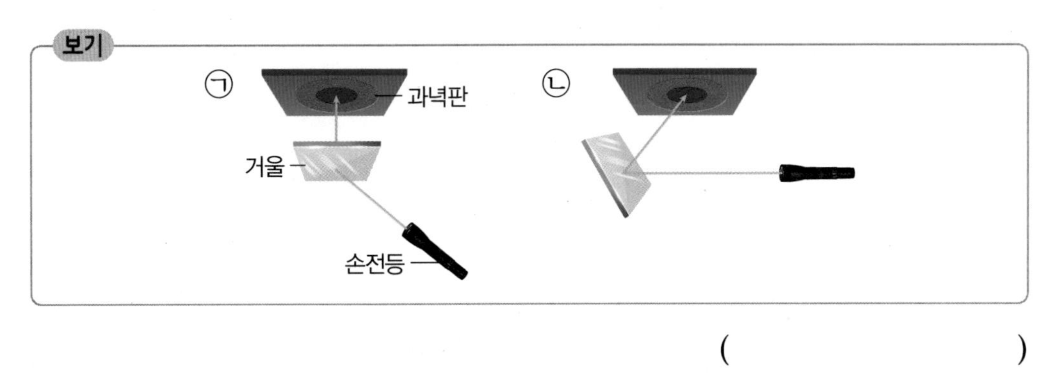

( )

6 다음과 같이 두 번 꺾인 종이 상자 입구에 손전등 빛을 비추어 종이 상자 속 파란색 깃발에 손전등 빛을 보내려고 합니다. 종이 상자의 첫 번째 꺾인 부분에 거울을 하나 놓았을 때, 파란색 깃발까지 빛을 보내려면 ㉠~㉣ 중 어느 곳에 거울을 하나 더 놓아야 하는지 기호를 써 봅시다.

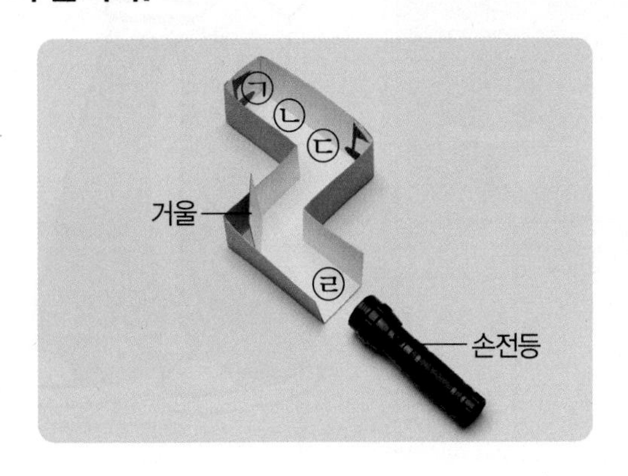

( )

17일차

우리 생활에서 이용하는 거울

탐구로 시작하기 우리 생활에서 거울을 이용하는 예 조사하기

과정 및 결과

1 우리 생활에서 거울을 이용하는 예를 조사해 봅시다.

➔ 우리 생활에서 거울을 이용하는 예에는 ⊕세면대 거울, 자동차 뒷거울, 미용실 거울, 옷 가게 거울, 무용실 거울 등이 있습니다.

⊕ **세면대** 손이나 얼굴을 씻을 수 있도록 시설을 갖추어 놓은 대

▲ 세면대 거울

▲ 자동차 뒷거울

▲ 미용실 거울

▲ 옷 가게 거울

▲ 무용실 거울

2 거울을 이용하는 예에서 거울의 쓰임새를 써 봅시다.

거울을 이용하는 예	거울의 쓰임새
세면대 거울	세수 할 때 얼굴을 볼 수 있습니다.
자동차 뒷거울	뒤에 오는 자동차의 위치를 확인할 수 있습니다.
미용실 거울	머리 손질을 할 때 자신의 머리 모양을 볼 수 있습니다.
옷 가게 거울	옷을 입은 모습을 볼 수 있습니다.
무용실 거울	무용을 하며 자신의 동작을 볼 수 있습니다.

정리

우리 생활에서 거울의 쓰임새는 무엇인가요?

➔ 빛을 반사하는 거울의 성질을 이용하여 자신의 모습이나 주변의 모습을 볼 수 있습니다.

개념 이해하기

1 우리 생활에서 거울을 이용한 예

거울을 이용하여 자신의 모습을 보거나 주변에 있는 다른 모습을 볼 수 있습니다.

화장실 거울	화장대 거울	치과 거울
		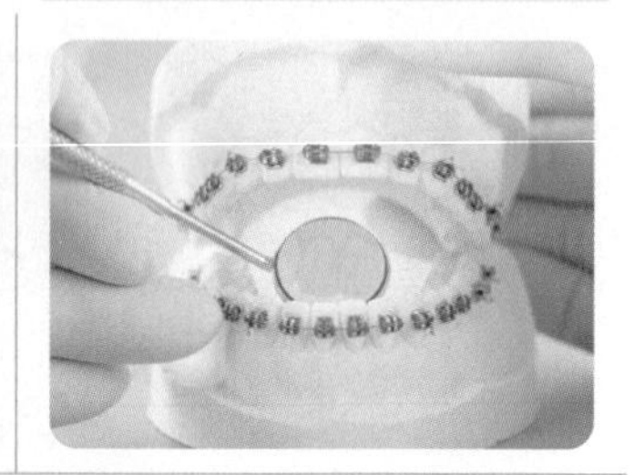
자신의 얼굴이나 모습을 살펴볼 수 있습니다.	화장이나 머리 손질을 할 때 자신의 모습을 볼 수 있습니다.	입 안에 잘 보이지 않는 치아를 볼 수 있습니다.

거울 두 개를 사용하면 잘 안보이는 자신의 뒷모습도 볼 수 있어요.

⊕ **승강기** 아파트와 같이 높은 건물에서 사람을 아래위로 나르는 장치

버스 거울	⊕승강기 거울	신발 가게 거울

버스 운전기사가 버스 뒷거울을 이용하여 승객이 안전하게 내리는지 확인할 수 있습니다.	승강기 안에서 자신의 모습을 볼 수 있고 승강기를 탈 때 뒤쪽 방향을 볼 수도 있습니다.	신발 가게에서 파는 신발을 신어 보고 신발을 신은 모습을 볼 수 있습니다.

신발 가게 거울은 거울이 조금 기울어져 있어서 몸을 구부리지 않고도 신발을 신은 모습을 볼 수 있어요.

자동차 측면 거울	길의 안전 거울	편의점 거울

뒤쪽에서 오는 다른 자동차를 확인할 수 있습니다.	굽은 길에 설치하여 보이지 않는 곳에서 자동차가 나오는지 확인할 수 있습니다.	점원이 서 있는 곳에서 보이지 않는 곳을 볼 수 있습니다.

2 우리 생활에서 거울의 다양한 쓰임새

거울이 빛을 반사하는 성질을 이용하여 우리 생활에 거울을 다양하게 이용하고 있습니다.

자동차 ⊕전조등과 같이 빛을 원하는 곳으로 보내기 위해 거울을 이용하기도 해요.

⊕ **전조등** 앞을 비추기 위해 자동차나 기차 등의 앞에 단 등

17 일차

큰 거울을 설치하여 공간이 넓어 보이게 합니다.

승강기 거울

좁은 승강기의 내부 공간이 넓어 보이게 합니다.

가게 거울

가게의 실내가 넓어 보이게 합니다.

거울을 이용하여 예술품이나 건축물을 만듭니다.

거울을 이용한 예술품

거울이 빛을 반사하는 성질을 이용하여 야외 공원에 예술품을 설치합니다.

거울을 이용한 건축물

거울의 성질을 이용하여 자연 친화적인 느낌을 주는 건축물을 만듭니다.

핵심 개념 확인하기

정답과 해설 • 10쪽

✔ 우리 생활에서 거울을 이용한 예

화장실 ❶ ☐☐	자신의 얼굴이나 모습을 볼 수 있습니다.
❷ ☐☐☐ 거울	화장이나 머리 손질을 할 때 자신의 모습을 볼 수 있습니다.
승강기 거울	승강기 안에서 자신의 ❸ ☐☐을 볼 수 있습니다.
자동차 뒷거울	❹ ☐쪽에서 오는 다른 자동차를 확인 할 수 있습니다.

✔ 우리 생활에서 거울의 다양한 쓰임새

- 큰 거울을 설치하여 ❺ ☐☐이 넓어 보이게 할 수 있습니다.
- 거울을 이용하여 ❻ ☐☐☐이나 건축물을 만들기도 합니다.

문제로 완성하기

우리 생활에서 거울을 이용한 예

1 다음은 우리 생활에서 무엇을 이용하는 예인지 써 봅시다.

(　　　　　　　　　　)

2 무용하는 자신의 모습을 볼 때 이용하는 거울은 어느 것입니까? (　　　)

① 

▲ 미용실 거울

② 

▲ 편의점 거울

③ 

▲ 세면대 거울

④ 

▲ 무용실 거울

⑤ 

▲ 자동차 측면 거울

3 우리 생활에서 거울을 이용한 예로 옳지 <u>않은</u> 것은 어느 것입니까? (　　　)

① 신문을 볼 때

② 화장대에서 화장을 할 때

③ 미용실에서 머리 모양을 볼 때

④ 무용하는 자신의 모습을 볼 때

⑤ 신발 가게에서 신발을 신은 모습을 볼 때

4 **오른쪽과 같은 자동차 뒷거울의 쓰임새를 옳게 말한 사람의 이름을 써 봅시다.**

- 도윤: 모든 방향에 있는 자동차를 볼 수 있어.
- 소민: 앞쪽에 가는 사람의 움직임을 볼 수 있어.
- 로아: 뒤쪽에서 오는 다른 자동차의 위치를 볼 수 있어.

( )

거울의 다양한 쓰임새

5 **승강기 거울에 대한 설명으로 옳지 않은 것을 보기 에서 골라 기호를 써 봅시다.**

보기

㉠ 자신의 옷과 얼굴을 볼 수 있다.
㉡ 승강기 내부 공간이 넓어 보이게 한다.
㉢ 출입문이 열리지 않아도 승강기에 타려는 사람의 모습을 볼 수 있다.

( )

6 **다음과 같이 예술품과 건축물에 이용한 거울에 대한 설명으로 옳지 않은 것을 보기 에서 골라 기호를 써 봅시다.**

보기

㉠ 거울은 잘 깨지기 때문에 건물 벽면을 장식하는 데는 쓸 수 없다.
㉡ 거울의 성질을 이용하여 자연 친화적인 느낌을 주는 건축물을 만든다.
㉢ 거울이 빛을 반사하는 성질을 이용하여 야외 공원에 예술품을 만든다.

( )

스스로 정리하기

특별 부록 

정답과 해설 • 10쪽

다음에서 밑줄에 들어갈 문장을 골라 써서 생각 그물을 완성해 보세요.

- 빛을 비추어야 한다.
- 좌우가 바뀌어 보인다.
- 그림자의 크기가 커진다.
- 그림자의 진하기가 달라진다.
- 나아가는 방향이 바뀌는 성질이다.
- 물체를 통과하지 못하기 때문이다.
- 주변에 있는 다른 모습을 볼 수 있다.

그림자와 거울

그림자가 생기는 조건

그림자가 생기려면 물체를 바라보는 방향으로 ❶ ________

빛이 물체를 통과하는 정도에 따라 ❷ ________

그림자의 모양과 크기

물체의 모양대로 그림자가 생기는 까닭은 빛이 직진하다가 ❸ ________

손전등과 물체 사이의 거리를 가깝게 하면 ❹ ________

빛의 반사와 거울

물체를 거울에 비추어 보면 물체의 ❺ ________

빛의 반사는 빛이 거울에 부딪치면 ❻ ________

거울을 이용하여 자신의 모습을 보거나 ❼ ________

단원 평가하기

(맞은 개수 개)

정답과 해설 ● 10쪽

1 **그림자를 만들기 위해서 꼭 필요한 것끼리 옳게 짝 지은 것은 어느 것입니까? ( )**

① 손전등, 물체 ② 손전등, 햇빛
③ 거울, 물체 ④ 거울, 나무 그늘
⑤ 나무 그늘, 물체

2 **다음과 같은 순서로 공과 손전등, 흰 종이를 놓고 손전등 빛을 비추었을 때, 흰 종이에 공의 그림자가 생기는 경우를 골라 기호를 써 봅시다.**

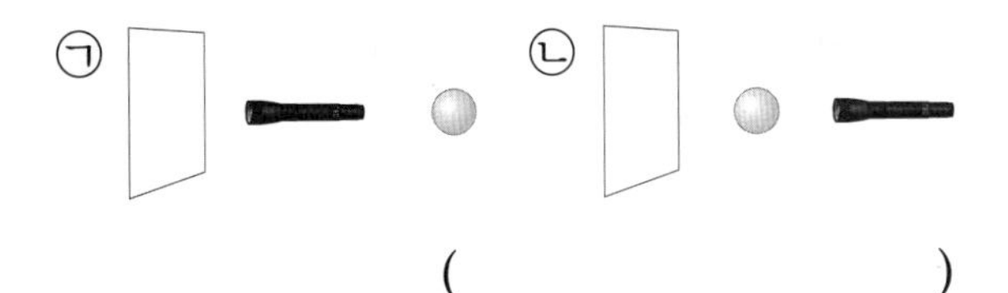

( )

서술형

3 **운동장에 있는 물체에 그림자가 생기는 경우를 골라 기호를 쓰고, 그림자가 생기는 조건을 써 봅시다.**

▲ 햇빛이 비칠 때

▲ 구름이 햇빛을 가렸을 때

4 **다음 ( ) 안에 알맞은 말을 써 봅시다.**

> 빛이 나아가다가 불투명한 물체를 만나면 빛이 물체를 통과하지 못해 ( ) 그림자가 생긴다.

( )

5~6 **다음과 같이 도자기 컵과 유리컵에 같은 손전등 빛을 각각 비추었을 때 스크린에 생기는 그림자를 관찰하였습니다.**

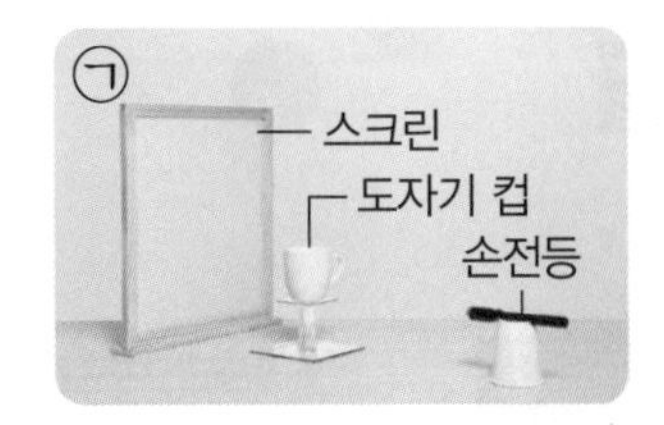

5 **위 ㉠과 ㉡ 중 연한 그림자가 생기는 경우를 골라 기호를 써 봅시다.**

( )

중요

6 **위 실험에서 두 컵에 빛을 비추었을 때 생긴 그림자의 진하기가 다른 까닭으로 옳은 것은 어느 것입니까? ( )**

① 두 컵의 크기가 다르기 때문이다.
② 두 컵의 모양이 다르기 때문이다.
③ 두 컵에 비춘 빛의 밝기가 다르기 때문이다.
④ 두 컵에 비춘 빛의 색깔이 다르기 때문이다.
⑤ 두 컵이 빛을 통과시키는 정도가 다르기 때문이다.

서술형

7 **오른쪽은 원 모양 종이를 사용해 그림자를 만든 모습입니다. 원 모양 종이를 삼각형 모양 종이로 바꾸고 그림자를 만들면 나타나는 그림자의 모양을 쓰고, 그렇게 생각한 까닭을 써 봅시다.**

8 다음과 같이 블록을 놓고 손전등 빛을 비추었을 때 생기는 그림자의 모양은 어느 것입니까? (　　　)

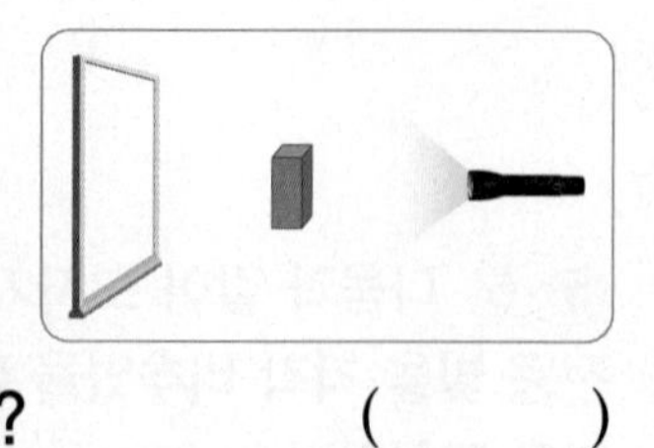

① 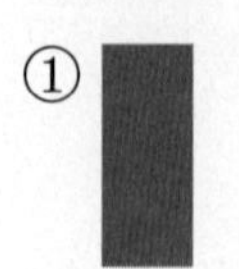 ② 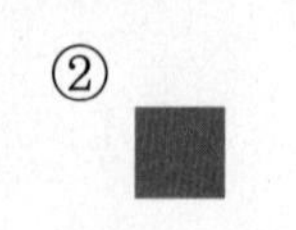 ③ 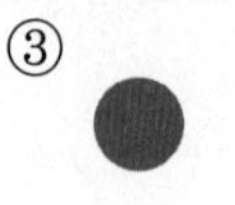

④  ⑤ 

\중요/

9 다음 (　　) 안에 알맞은 말을 각각 써 봅시다.

> 빛이 (㉠)하기 때문에 물체의 모양과 물체에 생긴 그림자의 모양이 비슷하다. 물체의 (㉡)이/가 바뀌거나 물체를 놓은 (㉢)이/가 달라지면 그림자의 모양이 달라지기도 한다.

㉠: (　　　) ㉡: (　　　) ㉢: (　　　)

10 다음과 같이 동물 모양 종이와 스크린을 놓고 불을 켠 손전등을 동물 모양 종이에서 멀리 할 때 그림자의 크기에 대해 옳게 말한 사람의 이름을 써 봅시다. (단, 동물 모양 종이와 스크린은 그대로 둡니다.)

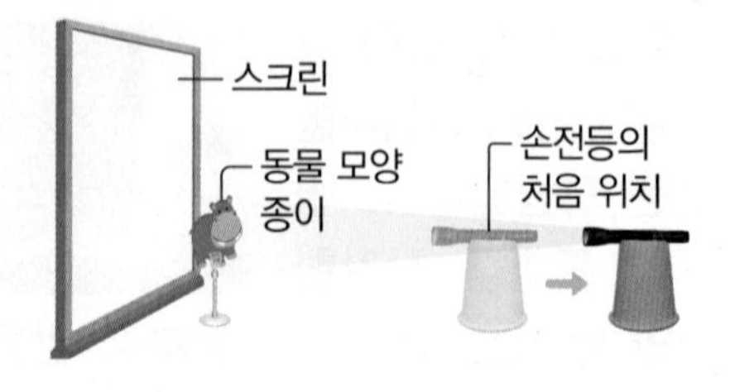

> • 미영: 그림자의 크기가 커져.
> • 소향: 그림자의 크기가 작아져.
> • 병수: 그림자의 크기는 변화가 없어.

(　　　　)

11 다음과 같이 물체의 위치를 다르게 하면서 손전등 빛을 비추었을 때, 스크린에 생기는 그림자의 크기가 가장 작은 물체는 어느 것입니까? (단, 손전등과 스크린은 그대로 둡니다.)

(　　　)

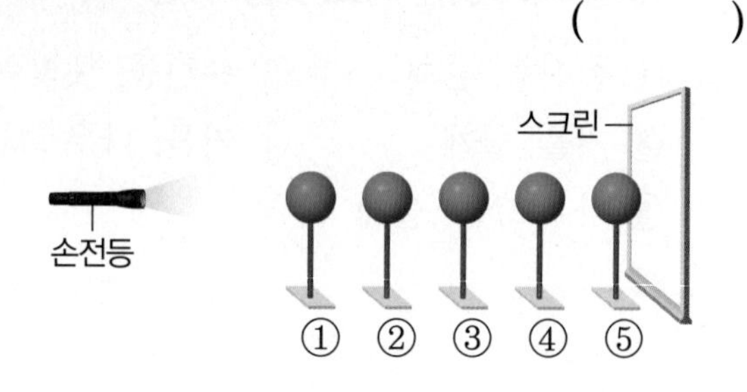

12 오른쪽 인형을 거울에 비추었을때 거울에 비친 인형의 모습을 골라 기호를 써 봅시다.

㉠  ㉡  ㉢ 

(　　　　)

서술형

13 거울에 물체를 비추었을 때, 거울에 비친 물체의 모습과 실제 물체의 모습에서 공통점과 차이점을 써 봅시다.

____

____

\중요/

14 오른쪽 거울에 비친 글자 카드를 보고, 실제 글자 카드에 적힌 글자를 써 봅시다.

(　　　　)

중요

15 거울에 대한 설명으로 옳지 않은 것을 보기 에서 골라 기호를 써 봅시다.

보기
- ㉠ 거울은 빛의 방향을 바꿀 수 있다.
- ㉡ 거울은 빛의 직진을 이용해 물체의 모습을 비추는 도구이다.
- ㉢ 거울이 바라보는 방향을 바꾸면 반사된 빛이 나아가는 방향을 바꿀 수 있다.

(　　　　　)

서술형

16 다음과 같이 손전등 빛이 거울의 맨 아랫부분에 닿도록 비추었을 때, 손전등 빛이 나아가는 모습이 어떠할지 써 봅시다.

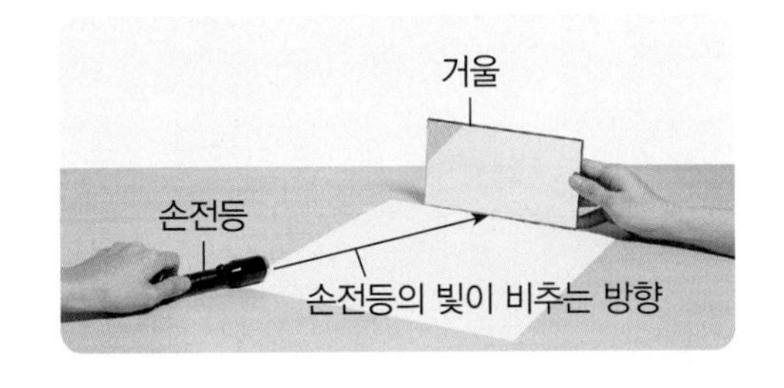

____

____

17 다음과 같이 손전등을 비추면서 손전등 빛을 과녁판의 가운데에 보내려고 할 때 필요한 것은 어느 것입니까? (　　　)

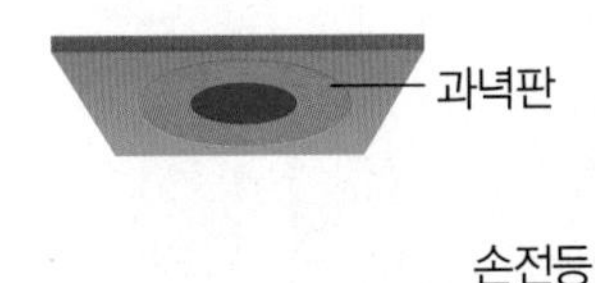

① 안경　② 거울　③ 유리판
④ 돋보기　⑤ 흰 종이

18 우리 생활에서 거울을 이용한 경우로 옳지 않은 것은 어느 것입니까? (　　　)

①

▲ 미용실 거울

②

▲ 무용실 거울

③

▲ 신발 가게 거울

④

▲ 교실 유리창

19 우리 생활에서 거울의 쓰임새로 옳지 않은 것은 어느 것입니까? (　　　)

① 세면대 거울: 세수할 때 얼굴을 볼 수 있다.
② 미용실 거울: 자신의 머리 모양을 볼 수 있다.
③ 승강기 거울: 자신의 옷과 얼굴을 볼 수 있다.
④ 무용실 거울: 무용하는 자신의 모습을 볼 수 있다.
⑤ 자동차 뒷거울: 자동차 안이 넓어 보이게 할 수 있다.

20 거울의 쓰임새에 대한 설명으로 옳지 않은 것을 보기 에서 골라 기호를 써 봅시다.

보기
- ㉠ 거울을 이용하여 장식품이나 예술품을 만들 수 있다.
- ㉡ 거울을 이용해서 좁은 공간을 넓어 보이게 할 수 있다.
- ㉢ 거울을 이용하여 주변에 있는 다른 사람을 볼 수는 없다.

(　　　　　)

화산과 화산 활동으로 나오는 물질

탐구로 시작하기 화산 활동 모형 만들기

과정 및 결과

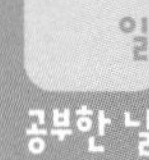

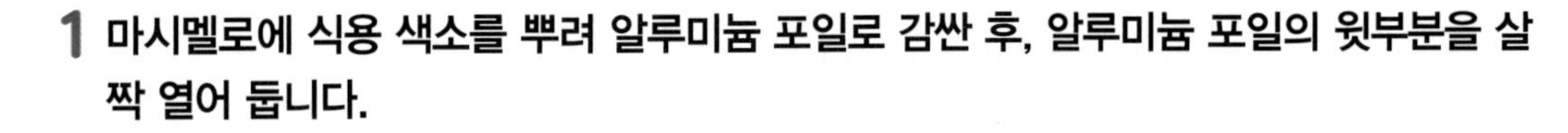

1 마시멜로에 식용 색소를 뿌려 알루미늄 포일로 감싼 후, 알루미늄 포일의 윗부분을 살짝 열어 둡니다.

2 마시멜로가 들어 있는 알루미늄 포일을 은박 접시에 올린 후, 가열 장치로 가열하면서 나타나는 현상을 관찰해 봅시다.

마시멜로가 쉽게 흘러나올 수 있게 알루미늄 포일의 윗부분을 열어 둔 것은 실제 화산의 ⊕분화구를 표현한 것이에요.

➔ 포일이 들썩거리고, 타는 냄새가 나면서 모형 윗부분에서 연기가 납니다.

➔ 포일의 윗부분에서 녹은 마시멜로가 흘러내리고, 마시멜로 덩어리가 튀어나오기도 합니다.

➔ 시간이 지나면 흘러나온 마시멜로가 식으면서 굳습니다.

⊕ **분화구** 화산의 산꼭대기에 움푹 파인 곳

3 화산 활동 모형과 실제 화산 활동을 비교해 봅시다.

공통점	• 연기가 납니다. • 빨간색 액체가 흘러나옵니다. • 시간이 지나면 밖으로 흘러나온 액체가 굳습니다.
차이점	• 모형 화산은 크기가 작고, 실제 화산은 크기가 큽니다. • 모형에서는 단단한 화산 암석 조각이나 화산재가 나오지 않고, 실제 화산에서는 단단한 화산 암석 조각이나 화산재가 나옵니다. • 모형보다 실제 화산에서 분출되는 물질의 양이 더 많습니다.

정리

화산 활동으로 나오는 분출물에는 어떤 것이 있을까요?

➔ 화산 가스, 용암, 화산재, 화산 암석 조각 등이 있습니다.

개념 이해하기

1 화산

① 마그마: 땅속 깊은 곳에 있는 암석이 녹은 것입니다.

② 화산: 마그마가 지표로 ⊕분출하여 쌓여 만들어진 지형입니다. ⊕ **분출** 마그마와 화산 가스 등이 지표 밖으로 나오는 형태

③ 화산 활동: 마그마가 ⊕지표로 분출하는 현상입니다. ⊕ **지표** 땅의 겉면

2 화산 관찰하기

우리나라의 화산		우리나라의 화산이 아닌 산	
백록담 / 한라산	천지 / 백두산	설악산	지리산
• 산꼭대기가 움푹 파여 있습니다. • 산꼭대기에 작은 호수인 백록담이 있습니다.	• 산꼭대기가 움푹 파여 있습니다. • 산꼭대기에 큰 호수인 천지가 있습니다.	• 산꼭대기가 파여 있지 않고 위로 볼록합니다. • 산꼭대기에 뾰족한 산봉우리가 많이 있습니다.	• 산꼭대기가 파여 있지 않고 위로 볼록합니다. • 산꼭대기가 길게 연결되어 있습니다.
화산	• 산꼭대기에 분화구가 있는 것도 있습니다. • 산꼭대기에 호수가 있는 것도 있습니다.	**화산이 아닌 산**	• 산꼭대기에 분화구가 없습니다. • 마그마가 분출하지 않았습니다.

세계 여러 나라의 화산			
후지산(일본)	킬라우에아산(미국)	에트나 화산(이탈리아)	푸에고 화산(과테말라)
경사가 완만하고, 산꼭대기가 움푹 파여 있습니다.	산꼭대기에 큰 구멍이 있고, 흰 연기가 나오는 곳도 있습니다.	경사가 완만하고, 산꼭대기가 파여 있으며, 주변에 나무가 거의 없습니다.	경사가 급하고, 산꼭대기가 파여 있으며, 흰 연기가 나옵니다.

▲ 화이트 아일랜드산 (뉴질랜드)	▲ 베수비오산 (이탈리아)	▲ 파리쿠틴산 (멕시코)	▲ 시나붕산 (인도네시아)	▲ 브로모산 (인도네시아)	▲ 다이아몬드헤드산 (미국)

3 화산의 특징

① 화산의 크기와 생김새가 다양하고, 경사나 높이가 다양합니다.

② 산꼭대기에 분화구가 있는 것도 있습니다.

③ 분화구에 물이 고여 호수나 물웅덩이가 생기기도 합니다. → 한라산의 백록담, 백두산의 천지는 분화구에 물이 고여 생긴 호수입니다.

④ 현재 화산 활동이 일어나는 곳도 있습니다.

화산 활동으로 새로운 산이 생기기도 하고, 산의 일부가 없어지기도 해요.

4 화산 분출물

① 화산 분출물: 화산이 분출할 때 나오는 여러 가지 물질입니다.

② 화산 분출물의 종류: 화산 분출물에는 화산 가스, 용암, 화산재, 화산 암석 조각 등이 있습니다.

화산 가스(기체)
- 화산이 분출할 때 나오는 기체입니다.
- 대부분 수증기입니다.
- 여러 가지 기체가 섞여 있습니다.

화산재(고체)
- 화산이 분출할 때 나오는 뿌연 돌가루입니다.
- 크기가 아주 작습니다.
  - 지름이 2 mm 이하인 고체 화산 분출물

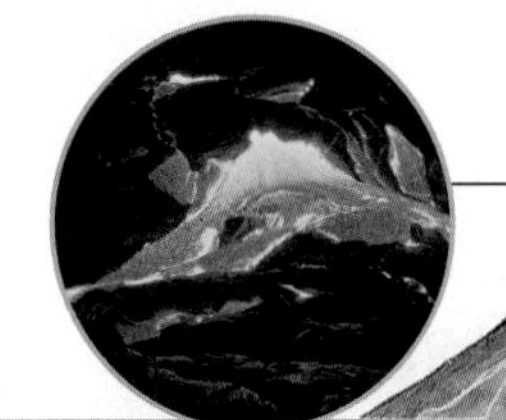

용암(액체)

마그마가 지표를 뚫고 나와 흘러내리는 것입니다.

- 용암은 마그마에서 기체가 빠져나간 것입니다.

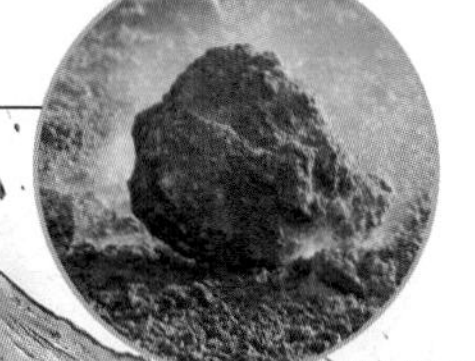

화산 암석 조각(고체)
- 크고 작은 돌덩이입니다.
- 크기가 다양합니다.
- 표면에 구멍이 많이 뚫려 있습니다.

용암이 지표를 따라 조용히 흐르는 화산도 있고, 용암이 고체 화산 분출물이나 화산 가스와 함께 폭발하듯 솟구쳐 오르는 화산도 있어요.

핵심 개념 확인하기

정답과 해설 • 12쪽

✔ ❶ ☐☐: 마그마가 지표로 분출하여 쌓여 만들어진 지형입니다.
- **우리나라의 화산:** 한라산, 백두산 등
- **세계 여러 나라의 화산:** 후지산, 킬라우에아산, 에트나 화산, 푸에고 화산 등

✔ **화산의 특징**
- 화산의 크기와 생김새가 다양하고, 경사나 높이가 다양합니다.
- 산꼭대기에 움푹 파인 곳인 ❷ ☐☐☐가 있는 것도 있습니다.
- 분화구에 물이 고여 ❸ ☐☐나 물웅덩이가 생기기도 합니다.

✔ **화산 분출물**

화산 분출물	상태	특징
화산 가스	❹ ☐☐	화산이 분출할 때 나오는 기체로, 대부분 수증기입니다.
❺ ☐☐	액체	마그마가 지표를 뚫고 나와 흘러내리는 것입니다.
❻ ☐☐☐	고체	화산이 분출할 때 나오는 뿌연 돌가루로, 크기가 작습니다.
화산 암석 조각	고체	크고 작은 돌덩이로, 크기가 다양합니다.

8 문제로 완성하기

화산

1 **다음은 무엇에 대한 설명인지 써 봅시다.**

마그마가 지표로 분출하여 쌓여 만들어진 지형이다.

(   )

화산 관찰하기

2 **오른쪽 백두산에 대한 설명으로 옳지 않은 것을 두 가지 골라 써 봅시다.** (,   )

① 화산이다.
② 이탈리아에 있는 지형이다.
③ 마그마가 분출한 흔적이 없다.
④ 산꼭대기에 큰 호수인 천지가 있다.
⑤ 땅속의 마그마가 분출하여 만들어진 지형이다.

3 **화산이 아닌 산은 어느 것입니까?** (   )

①

▲ 한라산

②

▲ 백두산

③

▲ 킬라우에아산

④

▲ 지리산

⑤

▲ 후지산

화산의 특징

4 **화산의 특징으로 옳은 것을 보기 에서 골라 기호를 써 봅시다.**

보기
㉠ 모두 높고 뾰족하다.
㉡ 산꼭대기에 분화구가 없다.
㉢ 산꼭대기의 움푹 파인 곳에 물이 고여 호수나 물웅덩이가 생기기도 한다.

(   )

화산 분출물

5 다음에서 설명하는 화산 분출물을 보기 에서 골라 기호를 써 봅시다.

- 대부분 수증기이다.
- 여러 가지 기체가 섞여 있다.

보기
㉠ 화산재
㉡ 화산 가스
㉢ 화산 암석 조각

( )

6~7 오른쪽과 같이 마시멜로를 감싼 알루미늄 포일을 은박 접시 위에 올려놓고, 가열 장치로 가열하여 화산 활동 모형을 만들었습니다.

화산 활동 모형 만들기

6 은박 접시를 가열 장치로 가열하면서 나타나는 현상으로 옳지 않은 것은 어느 것입니까? ( )

① 알루미늄 포일이 들썩거린다.
② 모형 윗부분에서 연기가 난다.
③ 마시멜로가 흘러내린 뒤 없어진다.
④ 포일 윗부분에서 녹은 마시멜로가 흘러내린다.
⑤ 시간이 지나면 흘러나온 마시멜로가 식으면서 굳는다.

7 위 화산 활동 모형에서 관찰되는 물질들에 해당하는 실제 화산 분출물을 보기 에서 각각 골라 기호를 써 봅시다.

보기
㉠ 용암　　㉡ 화산 가스
㉢ 화산 암석 조각　　㉣ 용암이 굳어서 된 암석

(1) 연기: ( )　　(2) 흐르는 마시멜로: ( )
(3) 굳은 마시멜로: ( )　　(4) 튀어나온 마시멜로: ( )

19일차

화산 활동으로 만들어진 암석

탐구로 시작하기

화산 활동으로 암석이 만들어지는 과정과 암석의 특징 알아보기

활동 1 화산 활동으로 암석이 만들어지는 과정 알아보기

1 초콜릿 조각을 반 정도 넣은 주사기를 따뜻한 물에 담급니다.

2 초콜릿이 녹으면 주사기를 꺼내 종이컵 구멍에 끼우고, 주사기의 피스톤을 밉니다.

3 주사기 밖으로 나온 초콜릿이 시간이 지남에 따라 어떻게 변하는지 관찰해 봅시다.

관찰한 내용

주사기의 입구에서 녹은 초콜릿이 흘러나와 종이컵 위에 고입니다.

→

관찰한 내용

시간이 지나면서 초콜릿의 표면부터 서서히 굳기 시작합니다.

굳은 초콜릿은 암석에 해당합니다(고체).

활동 2 화강암과 현무암 관찰하기

화강암과 현무암을 관찰하고 알갱이의 크기, 색깔, 만졌을 때의 느낌 등을 비교해 봅시다.

구분	사진	특징
화강암		• 맨눈으로 구별할 수 있을 정도로 알갱이의 크기가 큽니다. • 색깔이 밝습니다. • 표면이 거칠기도 하고, 매끄럽기도 합니다. • 여러 가지 색깔의 알갱이가 있습니다. • 반짝이는 알갱이가 있습니다.
현무암		• 맨눈으로 구별하기 어려울 정도로 알갱이의 크기가 작습니다. • 색깔이 어둡습니다. • 표면이 거칩니다. • 크고 작은 구멍이 많이 있습니다.

정리

- **실험 결과로 보아 실제 화산 활동에서 암석은 어떻게 만들어질까요?**

➜ 녹은 초콜릿이 식어서 굳은 것처럼, 마그마가 식으면서 굳어져 암석이 만들어집니다.

- **화강암과 현무암의 공통점과 차이점은 무엇일까요?**

➜ 공통점: 마그마가 식으면서 굳어져 만들어집니다. 표면이 거칩니다.

➜ 차이점: 화강암은 알갱이의 크기가 크고, 색깔이 밝습니다. 현무암은 알갱이의 크기가 작고, 색깔이 어둡습니다.

개념 이해하기

1 화성암

① 화성암: 마그마가 식으면서 굳어져 만들어진 암석입니다.

② 화성암이 만들어지는 과정: 지구 내부에서 작용하는 힘으로 마그마가 지표를 뚫고 나옵니다. 마그마가 땅속 깊은 곳이나 지표 가까운 곳에서 식으면서 굳어져 암석이 만들어집니다.

③ 화성암의 종류: 화성암에는 화강암, 현무암 등이 있습니다.

2 화성암이 만들어지는 장소

3 화강암과 현무암 비교하기

화강암	구분	현무암
땅속 깊은 곳에서 만들어집니다.	만들어지는 장소	지표 가까운 곳에서 만들어집니다.
알갱이의 크기가 큽니다. └• 마그마가 땅속 깊은 곳에서 천천히 식었기 때문입니다.	알갱이의 크기	알갱이의 크기가 작습니다. └• 마그마가 지표 가까운 곳에서 빠르게 식었기 때문입니다.
색깔이 밝습니다.	색깔	색깔이 어둡습니다.
표면이 거칩니다.	만졌을 때의 느낌	표면이 거칩니다.
• 대체로 밝은 바탕에 검은색 알갱이가 있습니다. • 반짝이는 알갱이가 있습니다.	기타	• 표면에 크고 작은 구멍이 있습니다. • 구멍은 마그마가 식을 때 화산 가스가 빠져나가면서 생깁니다. —• 표면에 구멍이 없는 현무암도 있습니다.

화성암의 알갱이의 크기는 마그마가 식는 장소나 빠르기에 따라 달라지고, 색깔은 암석을 이루고 있는 알갱이의 성분에 따라 달라져요.

4 우리 주변에서 볼 수 있는 화강암과 현무암

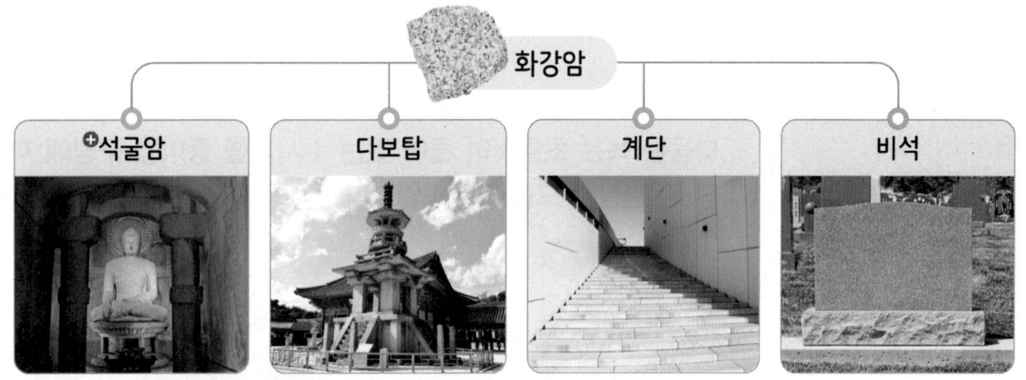

⊕ **석굴암** 신라 시대 경주 토함산에 화강암을 이용해 쌓은 인공 석굴

⊕ **돌하르방** 돌로 만든 할아버지라는 뜻으로, 제주도에서 안녕과 질서를 수호하여 준다고 믿는 석신

19 일차

핵심 개념 확인하기

정답과 해설 • 12쪽

✔ ❶ □□□: 마그마가 식으면서 굳어져 만들어진 암석입니다.

✔ **화성암이 만들어지는 장소**

화강암	마그마가 ❷ □□ 깊은 곳에서 천천히 식으면서 굳어져 만들어집니다.
현무암	마그마가 ❸ □□ 가까운 곳에서 빠르게 식으면서 굳어져 만들어집니다.

✔ **화강암과 현무암 비교하기**

구분	화강암	현무암
알갱이의 크기	알갱이의 크기가 ❹ □□□.	알갱이의 크기가 ❺ □□□□.
색깔	색깔이 밝습니다.	색깔이 ❻ □□□□□.
만졌을 때의 느낌	표면이 거칩니다.	표면이 ❼ □□□□.

✔ **우리 주변에서 볼 수 있는 화강암과 현무암**

❽ □□□	석굴암, 다보탑, 계단, 비석
❾ □□□	돌하르방, 현무암 돌담, 제주도 바위, 맷돌

문제로 완성하기

화성암이 만들어지는 과정 알아보기

1 **다음은 녹은 초콜릿이 들어 있는 주사기를 종이컵 구멍에 끼우고, 주사기의 피스톤을 민 뒤 관찰한 모습과 결과입니다. ( ) 안에 알맞은 말을 각각 써 봅시다.**

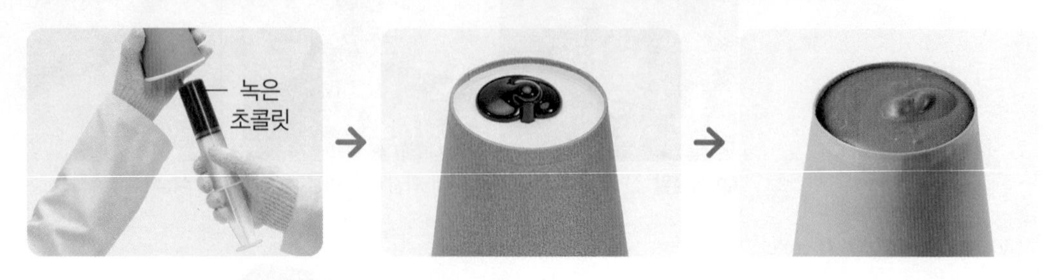

주사기 속 녹은 초콜릿이 의미하는 것은 실제 화산 활동에서 (㉠)이고, 이 실험은 (㉡)이/가 만들어지는 과정을 알아보기 위한 것이다.

㉠: (   ) ㉡: (   )

화성암이 만들어지는 장소

2 **㉠과 ㉡의 위치에서 만들어지는 화성암의 이름을 각각 써 봅시다.**

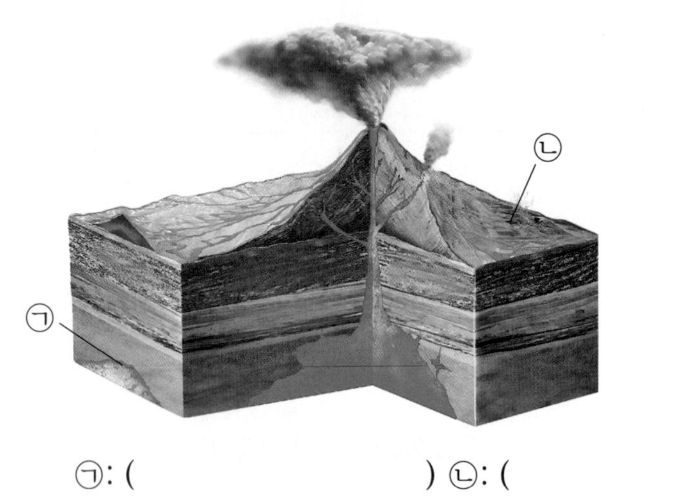

㉠: (   ) ㉡: (   )

화강암과 현무암 비교하기

3 **화강암과 현무암 중 마그마가 땅속 깊은 곳에서 식어서 만들어진 암석에 대한 설명으로 옳은 것은 어느 것입니까?** (   )

① 알갱이의 크기가 작다.
② 표면에 크고 작은 구멍이 있다.
③ 밝은색이고 반짝이는 알갱이가 있다.
④ 대체로 어두운 바탕에 하얀색 알갱이가 있다.
⑤ 마그마가 분출할 때 가스 성분이 빠져나간 흔적이 있다.

4~5 다음은 마그마의 활동으로 만들어진 암석의 모습입니다.

㉠

㉡
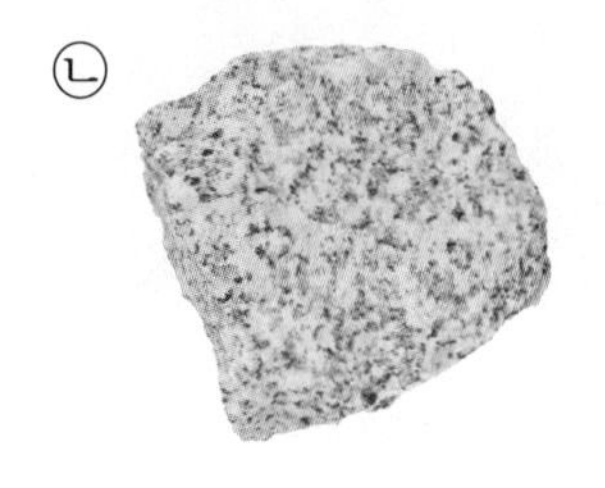

화강암과 현무암 관찰하기

4 ㉠과 ㉡ 중 현무암을 골라 기호를 써 봅시다.

( )

5 ㉠과 ㉡의 공통점으로 옳은 것은 어느 것입니까? ( )

① 전체적으로 색깔이 밝다.
② 마그마가 빠르게 식어서 만들어진다.
③ 마그마의 활동으로 만들어진 암석이다.
④ 지표 가까운 곳에서 만들어진 암석이다.
⑤ 맨눈으로 구별하기 어려울 정도로 알갱이의 크기가 작다.

우리 주변에서 볼 수 있는 화강암과 현무암

6 경주의 석굴암과 제주도의 돌하르방은 화강암과 현무암 중 무엇으로 만들어진 것인지 각각 써 봅시다.

㉠

▲ 석굴암

㉡

▲ 돌하르방

㉠: ( ) ㉡:( )

화산 활동이 우리 생활에 미치는 영향

탐구로 시작하기

화산 활동이 우리 생활에 미치는 영향 조사하기

1 스마트 기기로 화산 활동이 우리 생활에 어떤 영향을 미치는지 조사해 봅시다.

화산재는 땅을 기름지게 하여 농작물이 잘 자라게 만듭니다.

화산 분출물이 마을을 덮거나, 산불을 일으킵니다.

땅속의 높은 열을 이용하여 지열 발전을 합니다.

화산재와 화산 가스의 영향으로 생물이 질병에 걸립니다.

화산재가 햇빛을 가려 날씨 변화에 영향을 주어 동식물에게 피해를 줍니다.

땅속의 높은 열을 이용하여 온천을 개발합니다.

화산재의 영향으로 비행기의 운항이 어려워집니다.

2 화산 활동이 미치는 영향 ①~⑦을 피해와 이로움으로 분류해 봅시다.

화산 활동이 주는 피해	화산 활동이 주는 이로움
②, ④, ⑤, ⑦	①, ③, ⑥

정리

- **화산 활동이 우리 생활에 주는 피해는 무엇일까요?**

➜ 화산 분출물이 마을을 덮고, 산불을 일으킵니다. 화산재와 화산 가스의 영향으로 생물이 질병에 걸립니다. 화산재의 영향으로 날씨 변화가 나타나며, 비행기 운항이 어려워집니다.

- **화산 활동이 우리 생활에 주는 이로움은 무엇일까요?**

➜ 화산재가 땅을 기름지게 하여 농작물이 잘 자라게 만듭니다. 땅속의 높은 열을 이용하여 지열 발전을 하고, 온천을 개발합니다.

8 개념 이해하기

1 화산 활동이 우리 생활에 미치는 영향

화산 활동은 우리 생활에 피해를 주기도 하지만, 이로운 점도 있습니다.

① 화산 활동이 일어나면 지진이나 산사태가 발생할 수 있고, 화산 분출물은 마을을 뒤덮고 산불을 일으키는 등 우리 생활에 여러 가지 피해를 줍니다.

② 화산 주변 땅속의 열은 온천이나 지열 발전에 이용되고, 화산재는 땅을 기름지게 하는 등 화산 활동은 우리 생활에 이로움을 주기도 합니다.

2 화산 활동이 주는 피해

화산재, 화산 가스, 용암과 같은 화산 분출물은 여러 가지 피해를 줍니다.

화산재와 화산 가스에 의한 피해		용암에 의한 피해

화산재가 마을이나 농작물을 덮습니다.	화산재는 비행기의 엔진을 고장나게 하여 비행기의 운항을 어렵게 합니다.	용암이 지표를 흐르면서 산불을 발생시킵니다.

화산재가 햇빛을 차단하여 날씨를 변하게 합니다.	화산재나 화산 가스는 공기로 숨을 쉬는 생물을 ⊕호흡기 질병에 걸리게 합니다.	용암이 흘러 마을을 뒤덮고 인명 피해가 발생합니다.

마실 물과 마스크를 준비하고, 창문 틈새를 테이프로 붙이거나 전자 제품이 망가지지 않도록 비닐이나 랩으로 감싸면 화산재의 피해를 줄일 수 있어요.

⊕ **호흡기** 우리 몸에서 숨을 들이마시고 내쉬는 일에 관련이 있는 부분

3 화산 활동이 주는 이로움

온천

화산 주변의 ⊕온천을 관광지로 개발합니다.

⊕ **온천** 땅속 높은 열로 지하수가 데워져 솟아 나오는 샘

지열 발전

화산 주변의 땅속의 높은 열은 ⊕지열 발전에 이용됩니다.

⊕ **지열 발전** 지구 내부의 열을 이용하여 전기를 얻는 방법

기름진 농토

화산재는 시간이 지나면 땅을 기름지게 하여 농작물이 잘 자라게 합니다.

독특한 화산 지형 관광지

화산 활동으로 만들어진 지형을 관광지로 활용합니다.

건축물의 재료

화산 활동으로 만들어진 암석을 건축물의 재료로 이용(조각상, 맷돌 등)합니다.

생활 용품

화산재를 이용하여 화장품, 등산복과 같은 생활 용품을 만듭니다.

핵심 개념 확인하기

정답과 해설 • 13쪽

✔ 화산 활동이 주는 피해

❶ □□□에 의한 피해	• 마을이나 농작물이 덮여 피해가 발생합니다. • 햇빛이 차단되어 날씨 변화가 나타납니다. • ❷ □□□의 운항이 어려워집니다. • 공기로 숨을 쉬는 생물이 호흡기 질병에 걸릴 수 있습니다.
❸ □□에 의한 피해	• 지표를 따라 흘러 산불이 발생합니다. • 마을이 뒤덮이고, 인명 피해가 발생합니다.

✔ 화산 활동이 주는 이로움

- 화산 주변의 땅속의 높은 열을 온천과 ❹ □□ 발전에 이용합니다.
- ❺ □□□는 땅을 기름지게 하여 농작물이 잘 자라게 합니다.
- 화산 활동으로 만들어진 지형을 ❻ □□□로 활용합니다.
- 화산 활동으로 만들어진 암석을 건축물의 재료로 이용합니다.
- 화산재를 이용하여 생활 용품을 만듭니다.

문제로 완성하기

화산 활동이 우리 생활에 미치는 영향

1 **다음은 어떤 자연 현상이 우리 생활에 미치는 영향을 나타낸 것인지 써 봅시다.**

- 날씨 변화가 나타나기도 한다.
- 땅속의 높은 열을 이용하여 전기를 얻을 수 있다.
- 공기로 숨을 쉬는 생물에게 호흡기 질병이 나타나기도 한다.

(　　　　　　　　)

화산 활동이 주는 피해

2 **오른쪽과 같은 영향을 미치는 화산 분출물은 어느 것입니까?** (　　　)

① 용암
② 화산재
③ 수증기
④ 화산 가스
⑤ 화산 암석 조각

3 **화산 활동이 우리 생활에 주는 피해가 아닌 것은 어느 것입니까?** (　　　)

① 
▲ 호흡기 질병

② 
▲ 날씨 변화

③ 
▲ 비행기 운항에 영향

④ 
▲ 산불 발생

⑤ 
▲ 지열 발전

화산 활동이 주는 이로움

4 **화산 활동이 우리 생활에 주는 이로운 점을 보기 에서 모두 골라 기호를 써 봅시다.**

보기
㉠ 비행기 운항에 영향을 준다.
㉡ 화산 주변에서 온천을 개발한다.
㉢ 화산재가 마을이나 농작물을 뒤덮는다.
㉣ 화산재가 땅을 기름지게 하여 농작물이 잘 자라게 한다.

( )

5 **화산 활동을 이용하는 예가 아닌 것은 어느 것입니까?** ( )

① 
▲ 온천

② 
▲ 기름진 농토

③ 
▲ 건축물의 재료

④ ▲ 석유 개발

⑤ 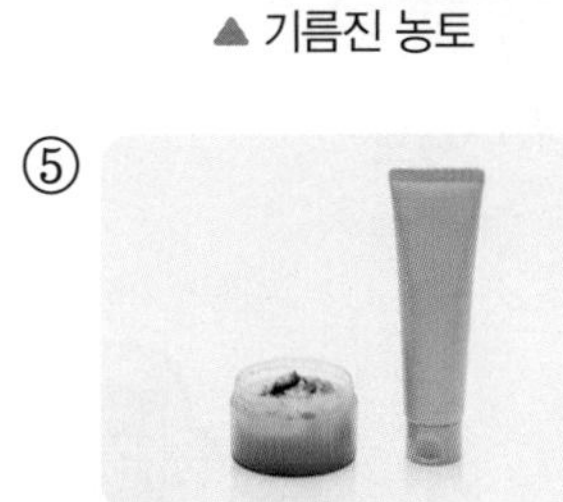
▲ 생활 용품

6 **화산 활동을 우리 생활에 이용하는 예로 옳지 않은 것은 어느 것입니까?** ( )

① 화산재를 원료로 등산복을 만든다.
② 화산재를 이용하여 날씨를 변하게 한다.
③ 독특한 화산 지형을 관광지로 개발한다.
④ 땅속의 높은 열을 이용하여 전기를 만든다.
⑤ 화산 활동으로 만들어진 암석을 건축물의 재료로 이용한다.

지진이 발생하는 까닭과 지진 피해

탐구로 시작하기 지진 발생 모형실험 하기

과정 및 결과

실험 동영상

1 우드록을 양손으로 잡고 수평 방향으로 힘을 주어 천천히 밉니다. 우드록의 변화와 우드록이 끊어질 때 손의 느낌을 이야기해 봅시다.

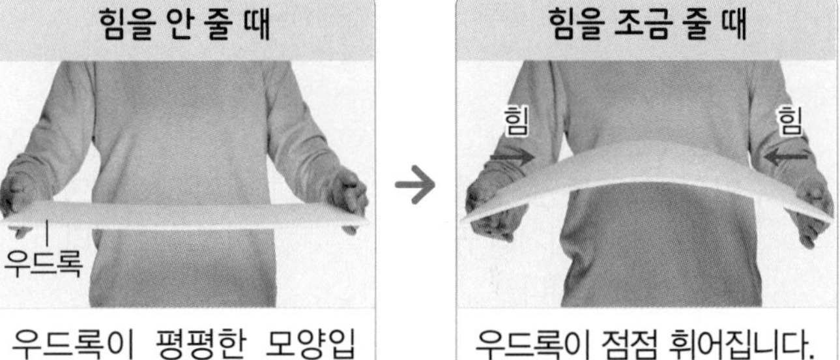

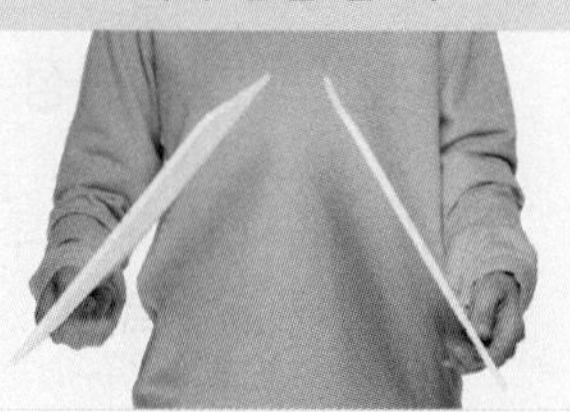

힘을 안 줄 때	힘을 조금 줄 때	계속 힘을 줄 때
우드록이 평평한 모양입니다.	우드록이 점점 휘어집니다.	• 계속 힘을 주면 큰 소리가 나며 우드록이 끊어집니다. • 우드록이 끊어지는 순간 손에 떨림이 느껴집니다.

2 지진 발생 모형실험과 실제 지진을 비교해 봅시다.

구분	지진 발생 모형실험	실제 지진
공통점	• 양쪽에서 미는 힘이 작용합니다. • 우드록이나 땅이 끊어지면서 떨림이 발생합니다.	
차이점	• 우드록은 작은 힘이 작용하여도 끊어집니다. • 우드록은 짧은 시간 동안 작용한 힘에 의해 끊어집니다. • 우드록이 끊어질 때 손의 떨림은 짧은 시간 동안 느껴집니다.	• 땅은 지구 내부에서 작용하는 큰 힘에 의해 끊어집니다. • 땅은 오랜 시간 동안 작용한 힘에 의해 끊어집니다. • 지진이 발생했을 때의 떨림은 우드록보다 오랫동안 이어집니다.

정리

지진 발생 모형실험으로 추리해 본 지진 발생 원인은 무엇일까요?

➜ 우드록에 힘을 주어 밀었을 때 우드록이 끊어지면서 떨림이 발생한 것처럼, 지구 내부에서 작용하는 힘을 받아 땅이 끊어지면서 지진이 발생합니다.

개념 이해하기

1 지진의 발생

① 지진: 땅이 끊어지면서 흔들리는 것입니다.

② 지진의 발생 원인: 지진은 땅(지층)이 지구 내부에서 작용하는 힘을 오랫동안 받아 끊어지면서 발생합니다.

→ 땅은 암석으로 이루어져 있어 단단합니다.

③ 지진의 발생 과정

땅이 지구 내부에서 작용하는 힘을 받습니다.

→

땅이 오랫동안 힘을 받으면 휘어지거나 끊어지기도 합니다.

→

땅이 끊어지면서 지진이 발생합니다.

2 지진의 피해

무너진 건물

끊어진 도로

무너진 다리

화재 발생

인명 피해

재산 피해

산사태

⊕지진 해일

⊕ **지진 해일** 바다의 밑바닥에 지진이 발생하여 생기는 거대한 파도

3 지진의 세기

① 규모: 지진의 세기를 나타내는 방법으로, 지진이 일어날 때 발생하는 힘의 크기를 재어 나타냅니다.

② 규모의 숫자가 클수록 강한 지진입니다.

③ 규모가 큰 지진이 발생하면 땅이 갈라지거나 산사태가 일어나기도 하고, 건물이나 도로가 부서져 인명 피해나 재산 피해가 발생하기도 합니다.

④ 지진의 규모가 같아도 지진의 피해 정도는 지진 대비 정도, 지진 경보 시기, 도시화 정도 등 여러 가지 요인에 따라서 달라질 수 있습니다.

항상 건물이 무너지는 큰 규모의 지진만 발생하는 것은 아니에요. 작은 규모의 지진은 사람이 느끼기 어려워요.

4 지진 피해 사례

우리나라에서 발생한 지진 피해 사례

연도	지역	규모	피해
2018	경상북도 포항시	4.6	부상자가 발생하였고, 건물과 도로가 갈라졌습니다.
2017	경상북도 포항시	5.4	부상자와 ⊕이재민이 발생하였고, 건물이 무너졌습니다.
2016	경상북도 경주시	5.8	부상자와 이재민이 발생하였고, 건물이 무너졌으며, 문화재가 손상되었습니다.

⊕ **이재민** 자연 현상 등으로 피해를 입은 사람

세계 여러 나라에서 발생한 지진 피해 사례

연도	지역	규모	피해
2019	파키스탄	5.8	도로가 끊어졌습니다.
	미국	7.1	부상자가 발생하였고, 화재와 산사태가 발생하였습니다.
	중국	6.0	사망자가 발생하였고, 건물이 무너졌습니다.
2018	인도네시아	7.5	인명 피해와 재산 피해가 발생하였고, 호텔이 무너졌습니다.
	일본	6.7	발전소와 철도 운행이 정지되었고, 전기가 끊겼습니다.
	대만	6.4	사망자와 부상자가 발생하였고, 건물이 파손되었습니다.
2016	뉴질랜드	7.8	도로가 끊어졌습니다.
2015	네팔	7.8	건물이 무너졌습니다.
2011	터키	7.1	인명 피해가 발생하였습니다.

알 수 있는 점

- 세계 여러 곳에서 규모가 큰 지진이 발생하여 인명 피해와 재산 피해가 발생하였습니다.
- 최근 우리나라에서도 규모 5.0 이상의 강한 지진이 발생하였으며, 우리나라도 지진에 안전한 지역이 아닙니다.

→ 지진의 피해를 줄일 수 있도록 지진에 대비하는 자세가 필요합니다.

핵심 개념 확인하기

정답과 해설 ● 13쪽

- ❶ ☐☐: 땅이 끊어지면서 흔들리는 것입니다.
  - **지진의 발생 원인**: 지진은 땅이 지구 내부에서 작용하는 힘을 오랫동안 받아 ❷ ☐☐지면서 발생합니다.
- **지진의 피해**: 건물이 무너지고, 인명 피해와 재산 피해가 발생합니다.
- **지진의 세기**: ❸ ☐☐로 지진의 세기를 나타내고, 숫자가 ❹ ☐수록 강한 지진입니다.
- **지진 피해 사례로 알 수 있는 점**: 우리나라와 세계 여러 곳에서 규모가 큰 지진이 발생하였으며, 우리나라도 지진에 안전한 지역이 ❺ ☐☐☐☐.

문제로 완성하기

1~2 다음은 우드록을 양손으로 밀면서 지진 발생 모형실험을 하는 모습입니다.

㉠
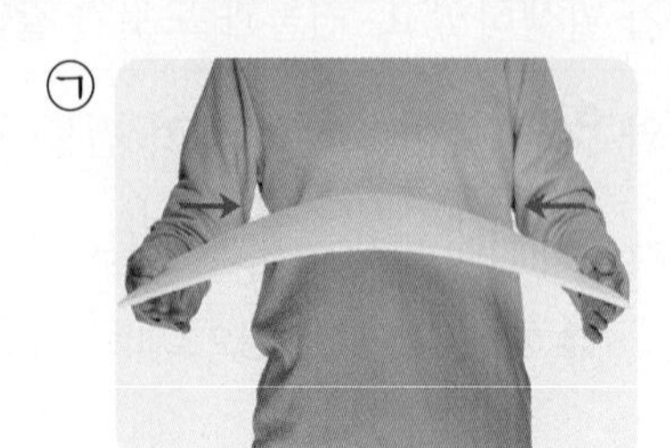
㉡
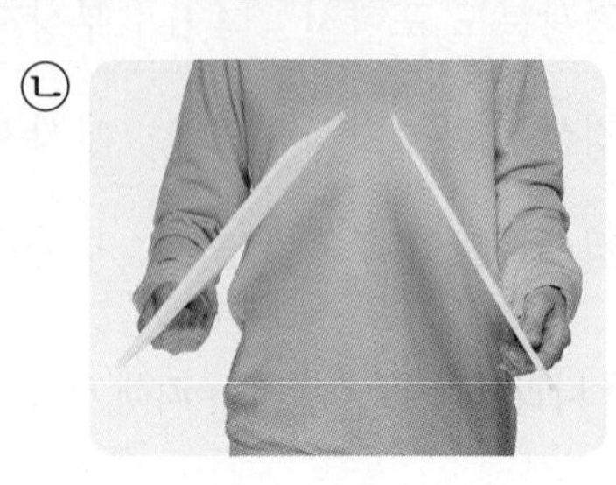

지진 발생 모형실험

1 위 모형실험을 실제 자연 현상과 비교할 때 양손으로 미는 힘이 나타내는 것은 무엇입니까? (　　)

① 땅　② 지진　③ 용암　④ 화산 활동　⑤ 지구 내부에서 작용하는 힘

2 ㉠과 ㉡ 중 실제 자연 현상에서 지진이 발생한 결과에 해당하는 것을 골라 기호를 써 봅시다.

(　　　　)

3 지진 발생 모형실험을 실제 지진과 비교한 내용으로 옳은 것을 보기 에서 골라 기호를 써 봅시다.

보기
㉠ 지진 발생 모형실험에서 더 큰 힘이 작용한다.
㉡ 지진 발생 모형실험은 실제 지진보다 훨씬 짧은 시간이 걸린다.
㉢ 지진 발생 모형실험에서의 떨림은 실제 지진보다 오랫동안 이어진다.

(　　　　)

지진의 발생

4 땅이 지구 내부에서 작용하는 힘을 오랫동안 받았을 때의 변화를 옳게 설명한 것은 어느 것입니까? (　　)

① 땅의 두께가 두꺼워진다.
② 땅의 색깔이 검게 변한다.
③ 땅에서 기체가 빠져나간다.
④ 땅이 휘어지거나 끊어진다.
⑤ 땅에 크고 작은 구멍이 생긴다.

지진의 피해

5 **지진이 발생할 때 나타날 수 있는 현상으로 가장 옳은 것은 어느 것입니까? (　　　　)**

① 
▲ 강한 바람이 붑니다.

② 
▲ 눈이 옵니다.

③ 
▲ 도로가 끊어집니다.

④ 
▲ 홍수가 납니다.

⑤ 
▲ 가뭄이 발생합니다.

지진의 세기

6 **규모가 나타내는 것은 어느 것입니까?** (　　　　)

① 지진의 세기
② 지진의 발생 횟수
③ 지진의 발생 장소
④ 지진이 발생한 날짜
⑤ 지진으로 인한 피해 정도

7~8 다음은 최근에 우리나라에서 발생한 지진 피해 사례를 조사한 표입니다.

구분	연도	지역	규모	피해
㉠	2017	경상북도 포항시	5.4	• 부상자와 이재민이 발생하였다. • 건물이 무너졌다.
㉡	2016	경상북도 경주시	5.8	• 부상자와 이재민이 발생하였다. • 건물이 무너지고, 문화재가 손상되었다.

지진 피해 사례

7 **㉠과 ㉡ 중 더 강한 지진을 골라 써 봅시다.**

(　　　　　　　　)

8 **위 표를 통해 알 수 있는 사실을 보기 에서 골라 기호를 써 봅시다.**

보기
㉠ 우리나라에서 발생한 지진의 세기는 모두 같다.
㉡ 우리나라에서 발생한 지진으로 인한 피해 정도는 모두 같다.
㉢ 우리나라는 지진에 안전한 지역이 아니다.

(　　　　　　　　)

지진이 발생했을 때 대처하는 방법

탐구로 시작하기 지진이 발생했을 때 대처 방법 토의하기

과정 및 결과

1 지진이 발생했을 때의 대처 방법은 무엇인지 조사해 봅시다.

튼튼한 탁자 아래로 들어가 머리와 몸을 보호합니다.

가방이나 손으로 머리를 보호합니다.

승강기를 이용하지 말고, 계단을 이용하여 이동합니다.

건물이나 담장으로부터 멀리 떨어져서 이동합니다.

전기와 가스를 차단합니다.

재난 방송의 올바른 정보에 따라 행동합니다.

2 학교에서 지진이 발생했을 때의 대처 방법을 토의해 봅시다.

지진으로 흔들릴 때	책상 아래로 들어가 머리와 몸을 보호하고, 책상 다리를 꼭 잡습니다.
흔들림이 멈추었을 때	• 가방이나 책으로 머리를 보호합니다. • 선생님의 지시에 따라 계단을 이용하여 운동장으로 신속하게 이동합니다. • 복도에서는 창문 유리가 깨질 수 있으니 창문에서 떨어져 이동합니다. 
지진 발생 후	다친 친구가 없는지 살피고, 재난 방송을 들으며 대처합니다.

정리

지진이 발생했을 때 대처 방법을 정리해 볼까요?

➜ 지진이 발생하면 머리와 몸을 보호합니다.
➜ 흔들림이 멈추면 계단을 이용하여 건물 밖으로 이동합니다.
➜ 상황과 장소에 따라 침착하게 대처합니다.

개념 이해하기

1 지진 발생 전 대처 방법

① 비상용품, 물, 구급약, 비상식량, 손전등, 라디오, 옷, 헬멧 등을 준비합니다.
② 떨어질 수 있는 물건은 낮은 곳에 두고, 흔들리기 쉬운 물건을 고정합니다.
③ 평소에 건물이나 담장, 가스나 전기 등 주변의 안전을 미리 점검합니다.
④ 집 주변의 대피 장소(+지진 옥외 대피 장소)를 미리 알아 둡니다.
⑤ 평소에 상황과 장소에 따른 올바른 대처 방법을 익혀 둡니다.

+ **지진 옥외 대피 장소** 지진 발생 시 안전하게 대피할 수 있는 외부 장소

지진은 예고 없이 발생하므로 평소에 어떻게 대처해야 하는지 알고 있어야 해요.

2 지진 발생 시 장소별 대처 방법

교실

- 지진으로 흔들릴 때: 책상 아래로 들어가 머리와 몸을 보호하고, 책상 다리를 꼭 잡습니다. (물건이 넘어지거나 떨어져 다칠 수 있기 때문입니다.)
- 흔들림이 멈추었을 때: 선생님의 안내에 따라 넓은 장소로 대피합니다.

지진으로 흔들리는 시간은 매우 짧으므로 장소와 상황에 맞게 대처하면 피해를 줄일 수 있어요.

승강기 안

- 지진으로 흔들릴 때: 모든 층의 버튼을 눌러 가장 먼저 열리는 층에서 내립니다.
- 흔들림이 멈추었을 때: 계단을 이용하여 대피합니다.

집 안

- 지진으로 흔들릴 때: 탁자 아래로 들어가 머리와 몸을 보호하고, 탁자 다리를 꼭 잡습니다.
- 흔들림이 멈추었을 때: 가스와 전기를 차단하고, 문을 열어 출구를 확보한 뒤 밖으로 나갑니다. (화재를 예방합니다.)

건물 안

- 지진으로 흔들릴 때: 머리와 몸을 보호합니다.
- 흔들림이 멈추었을 때: 승강기 대신 계단을 이용하여 신속하게 대피합니다.

건물 밖, 길거리

- 지진으로 흔들릴 때: 가방이나 손으로 머리를 보호하고, 건물과 담에서 최대한 멀리 떨어집니다.
- 흔들림이 멈추었을 때: 운동장이나 공원 등 넓은 곳으로 빠르게 대피합니다.

대형 할인점

- 지진으로 흔들릴 때: 장바구니로 떨어질 물건으로부터 머리와 몸을 보호하고, 계단이나 기둥 근처로 일단 피합니다.
- 흔들림이 멈추었을 때: 안내에 따라 이동합니다.

영화관, 경기장

- 지진으로 흔들릴 때: 소지품이나 손으로 머리를 보호합니다.
- 흔들림이 멈추었을 때: 안내에 따라 대피합니다.

산

- 산에서 되도록 빨리 내려옵니다.
- ⊕산사태에 주의하여 안전한 곳으로 대피합니다.

⊕ **산사태** 지진이나 화산으로 산의 바윗돌이나 흙이 갑자기 무너져 내리는 현상

열차 안

- 넘어지지 않도록 손잡이나 기둥, 선반 등을 꼭 잡고 기다립니다.
- 차량이 정지한 뒤에도 안내에 따라 이동합니다.
  └• 많은 사람들이 출구로 몰리면 위험합니다.

3 지진 발생 후 대처 방법 ─• 지진이 다시 발생할 수 있으므로 상황에 따라 침착하게 행동합니다.

① 다친 사람이 있으면 응급 처치를 하고, 구조 요청을 합니다.
② 집에 없는 가족과 연락을 합니다.
③ 주변에 위험한 곳이 있는지 확인하고, 건물 안에 들어가기 전 안전한지 확인합니다.
④ 라디오나 공공 기관의 ⊕재난 방송을 들으면서 상황에 맞게 대처합니다.

⊕ **재난 방송** 재난이 발생할 우려가 있거나 발생한 경우, 재난 발생을 예방하거나 피해를 줄이려고 하는 방송

핵심 개념 확인하기

정답과 해설 ● 13쪽

✔ **지진 발생 전 대처 방법:** ❶ □□□□, 구급약, 비상식량 등을 준비합니다.

✔ **지진 발생 시 장소별 대처 방법**

교실	❷ □□ 아래로 들어가 머리와 몸을 보호합니다.
승강기 안	모든 층의 버튼을 눌러 가장 ❸ □□ 열리는 층에서 내리고, ❹ □□을 이용하여 대피합니다.
집 안	가스와 전기를 차단하고, 문을 열어 출구를 확보합니다.
건물 밖, 길거리	건물과 담에서 최대한 ❺ □□ 떨어져서 대피합니다.

✔ **지진 발생 후 대처 방법:** 집에 없는 가족과 연락을 하고, ❻ □□ □□을 들으면서 상황에 맞게 대처합니다.

8 문제로 완성하기

지진 발생 전 대처 방법

1 **지진이 발생하기 전에 지진에 대비하여 준비해야 할 물건으로 옳은 것은 어느 것입니까?** (　　　)

① ▲ 게임기　② ▲ 색안경　③ ▲ 구급약　④ ▲ 우산　⑤ ▲ 필기구

2 **지진이 발생하기 전의 대처 방법으로 옳지 않은 것은 어느 것입니까?** (　　　)

① 비상용품을 준비해 둔다.
② 집 주변의 대피 장소를 미리 알아 둔다.
③ 떨어질 수 있는 물건을 높은 곳에 둔다.
④ 건물이나 담장, 가스나 전기를 미리 점검한다.
⑤ 상황과 장소에 따른 올바른 대처 방법을 익혀 둔다.

지진 발생 시 대처 방법

3 **지진이 발생했을 때 교실에 있을 경우의 대처 방법으로 옳은 것을 보기 에서 골라 기호를 써 봅시다.**

보기
㉠ 창문에 올라가서 매달린다.
㉡ 친구를 제치고 교실 밖으로 뛰어 나간다.
㉢ 책상 아래로 들어가 책상 다리를 꼭 잡는다.

(　　　　　　)

4 **지진으로 인한 흔들림이 멈추었을 때, 건물 안에서의 대처 방법으로 옳은 것을 골라 기호를 써 봅시다.**

㉠ 
▲ 계단을 이용하여 신속하게 이동합니다.

㉡ 
▲ 승강기를 이용하여 신속하게 이동합니다.

( )

5 **지진이 발생했을 때 대처 방법에 대해 잘못 설명한 사람의 이름을 써 봅시다.**

- 윤석: 머리와 몸을 가장 먼저 보호해야 해.
- 나윤: 집에서는 가스와 전기를 차단해야 해.
- 소현: 교실에서 지진으로 흔들릴 때 바로 운동장으로 대피해야 해.
- 상민: 승강기 안에서는 모든 층의 버튼을 눌러서 가장 먼저 열리는 층에서 내려야 해.

( )

지진 발생 후 대처 방법

6 **지진이 발생한 후의 대처 방법으로 옳지 않은 것은 어느 것입니까?** ( )

① 재난 방송을 듣는다.
② 다친 사람을 보고 지나간다.
③ 집에 없는 가족과 연락을 한다.
④ 건물에 들어가기 전 안전한지 확인한다.
⑤ 지진이 다시 발생할 수 있으므로 침착하게 행동한다.

18~22일차 스스로 정리하기

정답과 해설 • 14쪽

다음에서 밑줄에 들어갈 문장을 골라 써서 생각 그물을 완성해 보세요.

- 알갱이의 크기가 작다.
- 알갱이의 크기가 크다.
- 용암(액체)
- 지구 내부에서 작용하는 힘을 오랫동안 받아 끊어지면서
- 상황과 장소에 따라 침착하게 행동한다.
- 지열 발전에 이용한다.

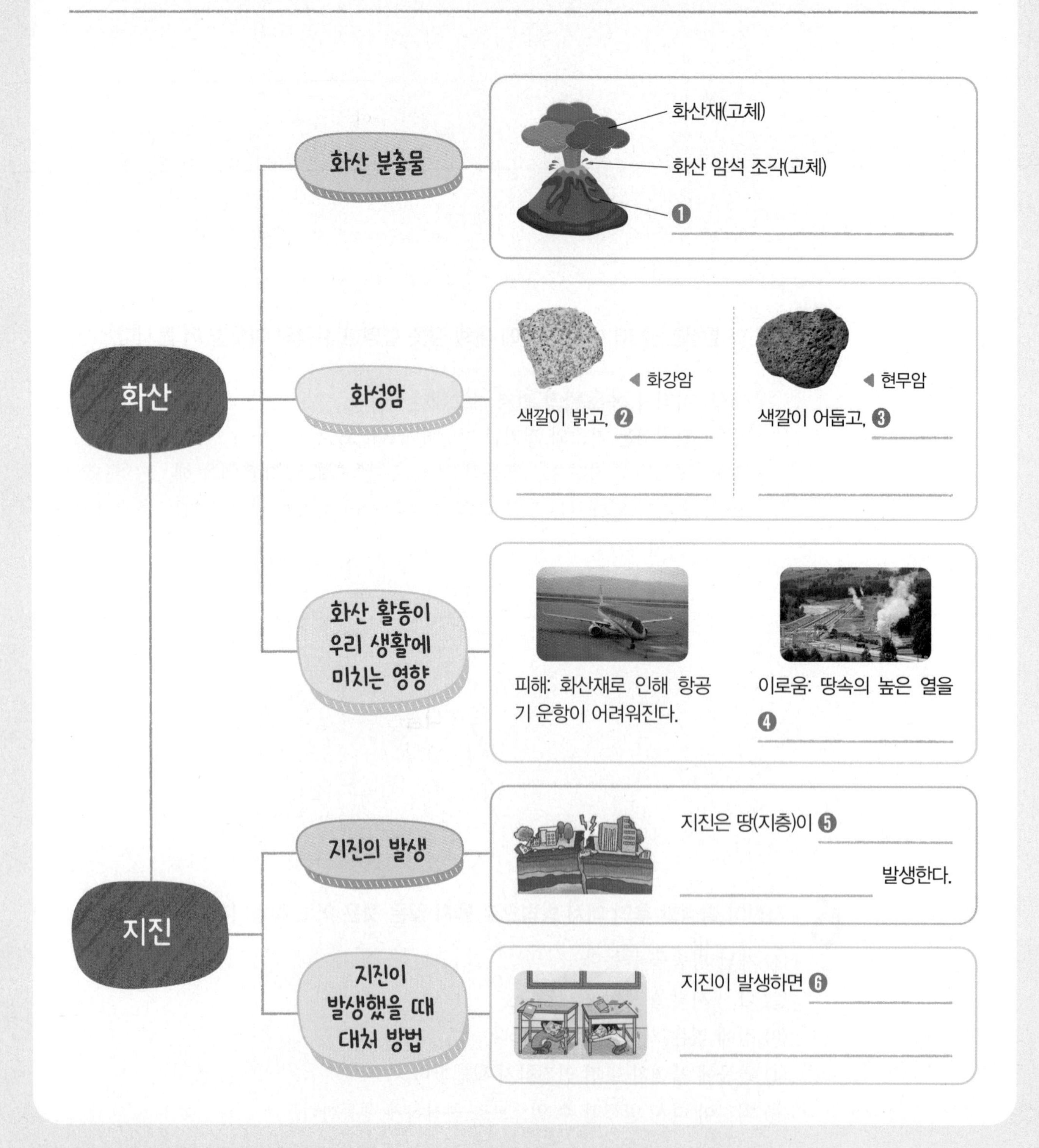

단원 평가하기

(맞은 개수 개)

○ 정답과 해설 ● 14쪽

1 화산이 아닌 산은 어느 것입니까? ( )

① 
▲ 후지산

② 
▲ 킬라우에아산

③ 
▲ 백두산

④ 
▲ 설악산

중요

2 화산에 대한 설명으로 옳은 것은 어느 것입니까? ( )

① 화산의 크기는 모두 같다.
② 화산의 생김새는 모두 같다.
③ 분화구에는 모두 물이 고여 있다.
④ 화산의 산꼭대기에는 모두 분화구가 없다.
⑤ 화산은 땅속의 마그마가 분출하여 생긴 것이다.

중요

3 화산 분출물 중 액체인 물질을 골라 기호를 써 봅시다.

▲ 화산재

▲ 용암

▲ 화산 암석 조각

( )

4 화산 가스의 대부분을 차지하고 있는 물질은 무엇인지 써 봅시다.

( )

5~6 오른쪽과 같이 마시멜로를 감싼 알루미늄 포일을 은박 접시 위에 올려놓고, 가열 장치로 가열하였습니다.

5 위 실험은 무엇을 알아보기 위한 것입니까? ( )

① 화산이 분출하는 원인
② 지진이 발생하는 원인
③ 화산이 분출할 때 나오는 물질
④ 화산 활동이 우리 생활에 미치는 영향
⑤ 화산 활동으로 만들어지는 암석의 종류

6 위 실험에서 화산 모형의 윗부분에서 피어오르는 연기는 실제 화산 분출물 중 무엇에 해당하는지 써 봅시다.

( )

서술형

7 다음은 화산 활동으로 만들어진 화강암과 현무암입니다. 만들어지는 장소와 마그마가 식는 속도와 관련지어 화강암과 현무암의 알갱이의 크기를 비교하여 써 봅시다.

▲ 화강암

▲ 현무암

중요

8 **화강암에 대한 설명으로 옳지 않은 것은 어느 것입니까?** ( )

① 반짝이는 알갱이가 있다.
② 화성암 중 대표적인 암석이다.
③ 대체로 밝은 바탕에 검은색 알갱이가 보인다.
④ 석굴암은 화강암으로 만들어져 색깔이 밝다.
⑤ 알갱이의 크기가 작아 맨눈으로 구별하기 어렵다.

9 **오른쪽과 같이 화산 활동으로 비행기 운항이 어려워지는 까닭으로 가장 옳은 것은 어느 것입니까?** ( )

① 기온이 높아지기 때문이다.
② 뜨거운 물이 솟구치기 때문이다.
③ 화산재가 비행기 엔진을 고장나게 하기 때문이다.
④ 땅속의 높은 열이 비행기의 몸체를 녹이기 때문이다.
⑤ 화산 암석 조각이 비행기 날개를 부러뜨리기 때문이다.

서술형

10 **다음은 공통적으로 화산 활동의 어떤 점을 이용한 것인지 써 봅시다.**

▲ 온천

▲ 지열 발전

중요

11 **지진에 대한 설명으로 옳지 않은 것은 어느 것입니까?** ( )

① 땅이 휘어지는 것을 말한다.
② 지진은 세계 여러 나라에서 발생한다.
③ 지진으로 지진 해일이 발생하기도 한다.
④ 지진이 발생하면 건물이 무너지기도 한다.
⑤ 지구 내부에서 작용하는 힘 때문에 발생한다.

12~13 **오른쪽과 같이 양 손으로 우드록을 잡고 수평 방향으로 힘을 주어 밀었습니다.**

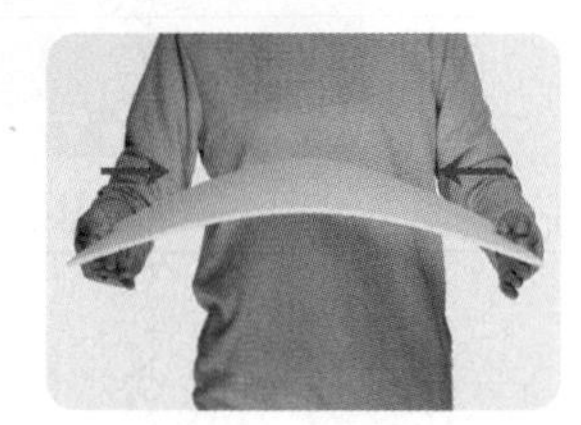

12 **위 실험 결과에 대한 설명으로 옳지 않은 것은 어느 것입니까?** ( )

① 조금 힘을 주면 우드록이 휘어진다.
② 계속 힘을 주면 우드록이 끊어진다.
③ 우드록이 휘어질 때 소리가 나고 떨린다.
④ 우드록이 끊어질 때 손에 떨림이 느껴진다.
⑤ 우드록이 끊어질 때의 떨림은 실제 땅이 끊어지면서 흔들리는 것과 같다.

13 **위 실험에서 우드록이 끊어질 때 손에 전달되는 떨림이 나타내는 실제 자연 현상은 무엇인지 써 봅시다.**

( )

서술형

14 **지진이 발생하는 까닭을 써 봅시다.**

중요

15 다음은 지진의 세기에 대한 설명입니다. ( ) 안에 알맞은 말을 각각 써 봅시다.

> 지진의 세기는 (㉠)(으)로 나타내고, (㉠)의 숫자가 (㉡) 강한 지진이다.

㉠: (   ) ㉡: (   )

16~17 다음은 최근에 미국과 우리나라에서 발생한 지진 피해 사례를 조사한 표입니다.

구분	연도	지역	규모	피해
㉠	2019	미국	7.1	• 부상자가 발생하였다. • 화재와 산사태가 발생하였다.
㉡	2018	경상북도 포항시	4.6	• 부상자가 발생하였다. • 도로가 갈라졌다.
㉢	2016	경상북도 경주시	5.8	• 부상자와 이재민이 발생하였다. • 건물이 무너지고, 문화재가 손상되었다.

16 위 표에서 지진의 세기가 가장 강한 경우를 골라 기호를 써 봅시다.

(   )

17 위 표를 통해 알 수 있는 사실로 옳지 않은 것은 어느 것입니까? (   )

① 지진마다 규모가 다르다.
② 우리나라는 지진에 대비할 필요가 없다.
③ 우리나라는 지진에 안전한 지역이 아니다.
④ 최근 우리나라에서도 규모 5.0 이상의 지진이 발생하였다.
⑤ 세계 여러 나라에서 지진으로 인명 피해와 재산 피해가 발생한다.

중요

18 지진이 발생했을 때 대처 방법으로 옳지 않은 것은 어느 것입니까? (   )

①

▲ 머리를 보호하며 넓은 장소로 이동합니다.

②

▲ 전기와 가스를 차단합니다.

③

▲ 건물이나 담에 최대한 가까이 갑니다.

④

▲ 승강기 대신 계단을 이용하여 대피합니다.

19 지진이 발생했을 때 장소에 따른 대처 방법으로 옳은 것은 어느 것입니까? (   )

① 산에서는 되도록 천천히 내려온다.
② 열차 안에서는 문을 열고 뛰어내린다.
③ 교실에서는 책상 위로 올라가 머리와 몸을 보호한다.
④ 대형 할인점에서는 장바구니로 머리와 몸을 보호한다.
⑤ 영화관에서는 소지품이나 손으로 머리를 보호하고, 안내를 무시하고 밖으로 빠르게 나간다.

20 지진 발생 후의 대처 방법으로 옳은 것을 보기 에서 골라 기호를 써 봅시다.

> **보기**
> ㉠ 다친 사람을 응급 처치한다.
> ㉡ 떨어진 물건을 모두 높은 곳에 올려놓아야 한다.
> ㉢ 재난 방송을 끄고 집이나 교실로 돌아가야 한다.

(   )

물의 순환

탐구로 시작하기 물의 이동 과정 알아보기

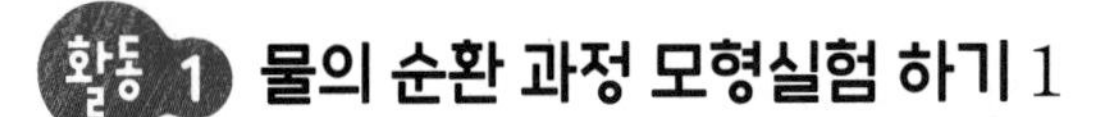

활동 1 물의 순환 과정 모형실험 하기 1

과정 및 결과

실험 동영상

1 플라스틱 통에 따뜻한 물을 넣고 뚜껑을 닫은 후, 얼음주머니를 올려놓습니다.

2 플라스틱 통 안에서 일어나는 변화를 관찰하고, 물의 순환을 추리해 봅시다.

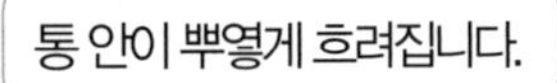

➜ 물이 증발하여 수증기가 됩니다. → 수증기가 차가운 표면을 만나 응결하여 물방울이 맺힙니다. → 물방울이 커지면 아래로 떨어집니다.

활동 2 물의 순환 과정 모형실험 하기 2

실험 동영상

1 물의 순환 과정 모형을 만들고, 컵 안에서 일어나는 변화를 관찰합니다.

❶ 플라스틱 컵에 젖은 모래를 비스듬히 담고 위쪽을 평평하게 만든 후, 벽면을 따라 물을 붓습니다.
❷ 모래 위에 조각 얼음을 올립니다.
❸ 뚜껑을 뒤집어 구멍을 랩으로 막고, 조각 얼음을 올린 후 플라스틱 컵 위에 얹습니다.
❹ 열 전구 스탠드를 켜고 물을 비춥니다.

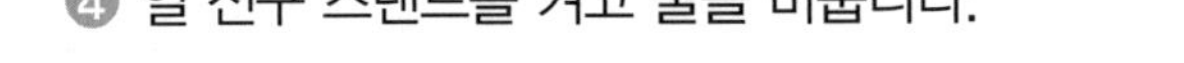

2 모형에서 물의 이동과 상태 변화를 추리해 보고, 실제 물의 순환과 비교해 봅시다.

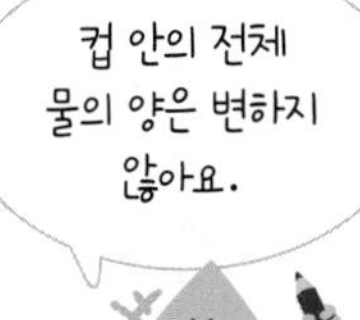

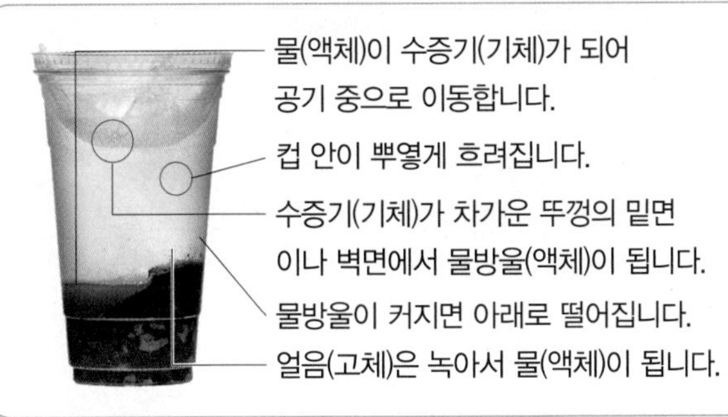

모형		실제
열 전구 스탠드	=	태양
컵 안	=	지구
물	=	바다, 강, 호수
모래	=	땅, 육지
얼음	=	빙하, 만년설
물방울	=	비, 이슬

정리

모형을 이용하여 지구에서 물이 순환하는 과정을 이야기해 볼까요?

➜ 물이 증발해 차가워지면 응결하고, 물방울이 커지면 아래로 떨어지는 과정이 반복됩니다. 지구에서도 물이 증발하여 수증기가 되고, 높은 곳에서 수증기가 응결하면 구름이 되며, 구름에서 비나 눈이 내리는 과정이 반복됩니다.

개념 이해하기

1 물이 있는 곳과 물의 상태

물은 지구의 곳곳에서 볼 수 있고, 머물러 있는 곳에 따라 물의 상태가 다릅니다.

물이 있는 곳	공기 중	눈	⊕만년설	빙하
물의 상태	기체	고체	고체	고체
물이 있는 곳	⊕구름	비	⊕안개	이슬
물의 상태	액체	액체	액체	액체
물이 있는 곳	강	바다	호수	지하수
물의 상태	액체	액체	액체	액체
물이 있는 곳	나무뿌리	과일	사람의 몸속	화장실 변기
물의 상태	액체	액체	액체	액체

⊕ **만년설** 아주 추운 지방이나 높은 산지에 일 년 내내 녹지 않고 쌓여 있는 눈
⊕ **구름** 공기 중의 수분이 엉기어서 미세한 물방울이나 얼음 결정의 덩어리가 되어 공중에 떠 있는 것
⊕ **안개** 지표면 가까이에 아주 작은 물방울이 뿌옇게 떠 있는 현상

2 물의 ⊕순환 ⊕ 순환 어떤 현상이나 변화 과정이 주기적으로 반복되는 현상

① 물의 순환: 물이 상태가 변하면서 육지, 바다, 공기 중, 생명체 등 여러 곳을 끊임없이 돌고 도는 과정입니다.
→ 지구의 곳곳을 돌고 돕니다.

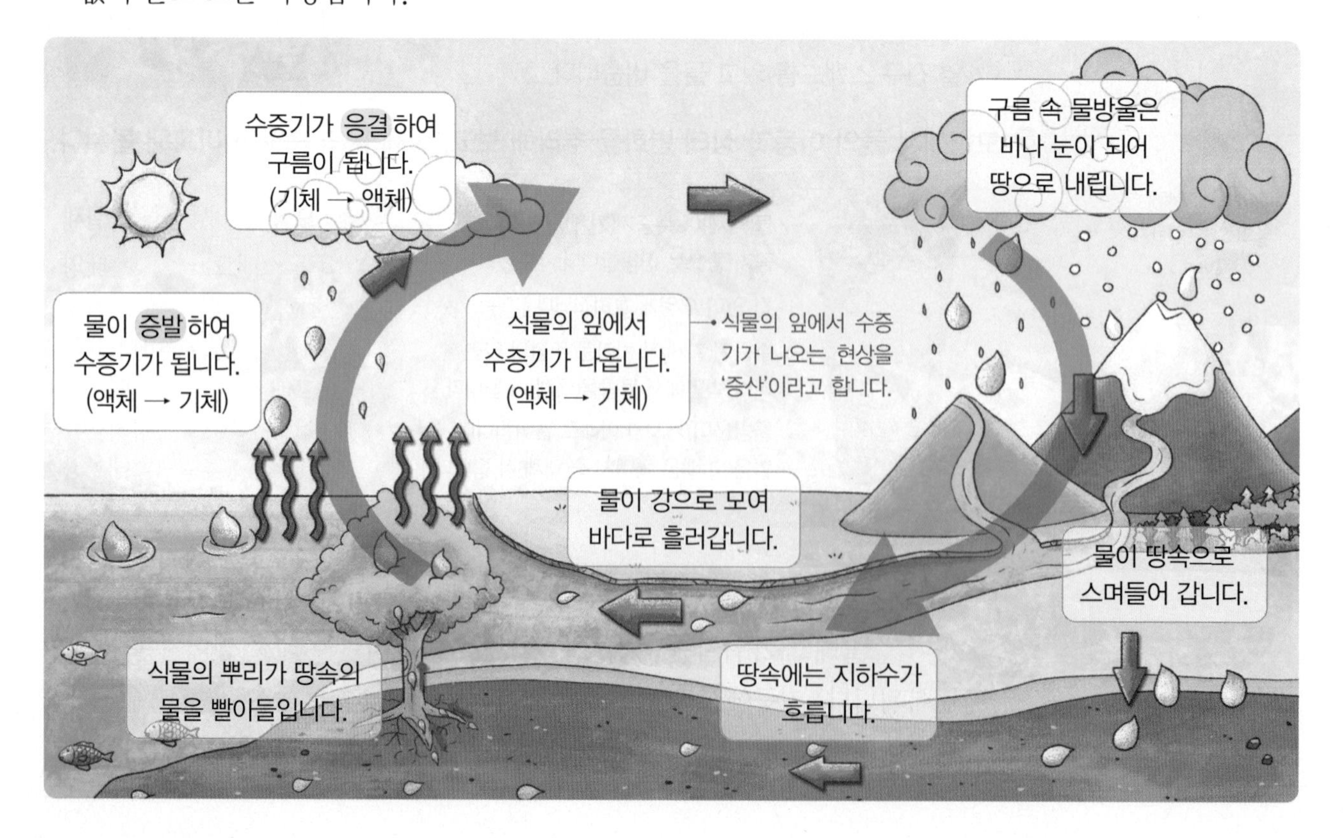

② 물의 순환 과정 여행 이야기 만들기

물방울의 여행 이야기

[이동 과정에 따른 물의 상태: 물, 수증기, 얼음]

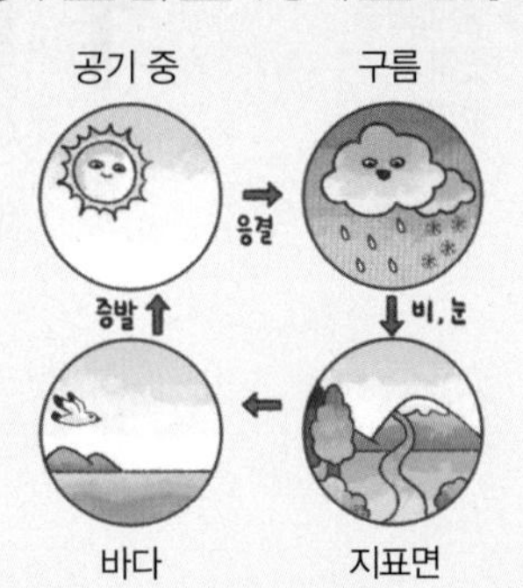

나는 바다에서 친구들과 함께 놀고 있었어. 햇볕이 따뜻한 어느 날, 몸이 따뜻해지더니 수증기가 되어 하늘로 올라갔어.

하늘 높이 올라가다 추워져서 다시 물방울이 되었는데, 함께 물방울이 된 친구들과 모여서 구름이 되었어.

구름이 되어 여행하다가 친구들과 엉겨 붙어 무거워지면서 비가 되어 떨어졌어. 어떤 친구들은 높은 산에서 눈이 되어 떨어졌대.

땅에 떨어진 나와 친구들은 강으로 모여서 바다로 흘러갔는데, 몇몇 친구들은 땅속을 탐험하다가 나무뿌리로 빨려 들어갔대.

바다에 있던 나는 다시 수증기가 되어 하늘로 올라갔고, 나무뿌리에 빨려 들어갔던 친구들은 잎에서 수증기가 되어 나와서 하늘로 올라갔어. 우리는 공기 중에서 다시 만났어!

③ 지구 전체에 있는 물의 양: 지구에 있는 물은 사라지지 않고, 상태가 변하면서 계속 순환합니다. 따라서 지구 전체에 있는 물의 양은 변하지 않습니다.

3 물의 순환으로 일어나는 현상

① 물은 순환하면서 눈, 비, 안개 등 날씨를 변화시킵니다.

② 물의 순환 과정에서 물이 흐르면서 지형을 변화시킵니다. (강물의 침식, 운반, 퇴적 작용으로 땅의 모습이 변합니다.)

③ 물은 순환하면서 식물과 동물이 생명을 유지하도록 해줍니다. (식물의 뿌리로 흡수된 물이나 동물이 마신 물은 생명을 유지시킵니다.)

핵심 개념 확인하기

정답과 해설 • 15쪽

물이 있는 곳과 물의 상태

물이 있는 곳	공기 중	구름, 비, 강, 바다, 사람	눈, 만년설, 빙하
물의 상태	기체	❶	❷

물의 ❸ : 물이 상태가 변하면서 육지, 바다, 공기 중, 생명체 등 여러 곳을 끊임없이 돌고 도는 과정 ➡ 지구 전체에 있는 물의 양은 변하지 않습니다.

물이 ❹ 하여 공기 중으로 이동합니다. (액체 → 기체)

↓

수증기가 ❺ 하여 구름이 됩니다. (기체 → 액체)

↓

구름에서 비나 눈이 내립니다.

↓

물이 강으로 모여 바다로 흘러 갑니다.

물의 순환으로 나타나는 현상: ❻ 변화, 지형 변화, 생명 유지 등

문제로 완성하기

물이 있는 곳과 물의 상태

1 **물이 액체 상태로 있는 곳이 아닌 것은 어느 것입니까?** ( )

① 강 ② 땅속 ③ 바다
④ 만년설 ⑤ 나무뿌리

물의 순환

2 **그림은 물의 순환 과정입니다. ㉠~㉤ 중 다음 각 물음에 해당하는 과정을 모두 골라 기호를 써 봅시다.**

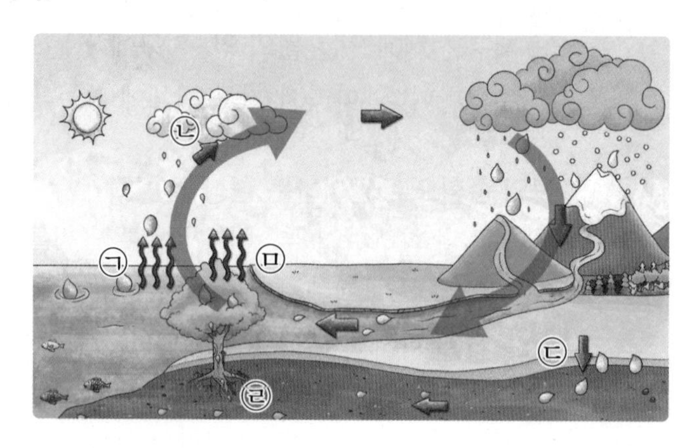

(1) 물이 수증기로 상태가 변하는 과정: ( )
(2) 물이 상태가 변하지 않으면서 이동하는 과정: ( )

3 **다음은 물방울의 여행 이야기의 일부입니다. ㉠~㉤ 중 증발과 응결에 해당하는 과정을 각각 골라 기호를 써 봅시다.**

> 나는 물방울이야. ㉠ 어느 날 몸이 따뜻해지더니 수증기가 되어 하늘로 올라갔어. ㉡ 하늘 높이 올라가다 다시 물방울이 되었는데, 함께 물방울이 된 친구들과 모여서 구름이 되었어. 구름이 되어 여행하다가 ㉢ 나와 친구들이 엉겨 붙어 비가 되어 떨어졌어. ㉣ 어떤 친구들은 높은 산에서 눈이 되어 떨어졌대. 땅에 떨어진 나와 친구들은 강으로 모여서 바다로 흘러갔는데, 몇몇 친구들은 땅속을 탐험하다가 ㉤ 나무뿌리로 빨려 들어갔대.

(1) 증발: ( ) (2) 응결: ( )

물의 이동 과정 알아보기

4 **오른쪽과 같이 플라스틱 통에 따뜻한 물을 넣고 뚜껑을 닫은 후, 얼음 주머니를 올려놓았습니다. 통 안에서 일어나는 변화로 옳은 것을 보기 에서 골라 기호를 써 봅시다.**

보기
㉠ 물이 고체 상태로 변하면서 공기 중으로 이동한다.
㉡ 뚜껑 안쪽에 물방울이 맺히는 현상은 증발이다.
㉢ 통 안이 뿌옇게 흐려진다.

( )

5~6 오른쪽과 같이 물의 순환 과정 모형을 만들어 열 전구 스탠드를 비추어 보았습니다.

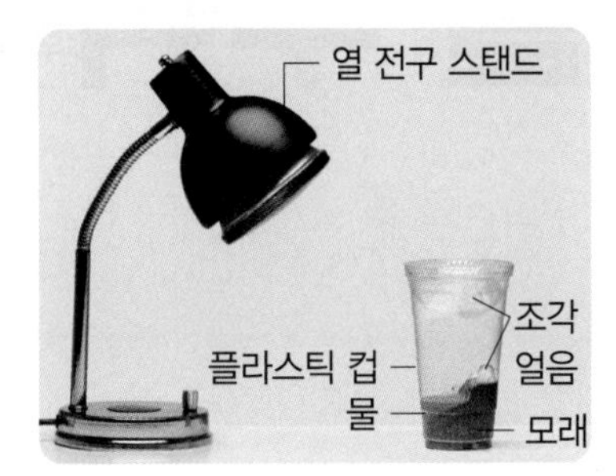

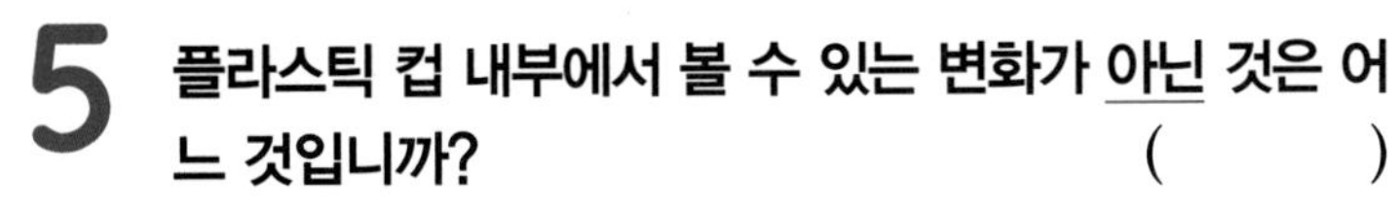

5 **플라스틱 컵 내부에서 볼 수 있는 변화가 아닌 것은 어느 것입니까?** ( )

① 컵 안이 뿌옇게 흐려진다.
② 뚜껑 밑면에 얼음이 맺힌다.
③ 컵 안쪽 벽면에 물방울이 맺힌다.
④ 모래 위의 얼음이 녹아 흘러내린다.
⑤ 컵 안쪽 벽면을 따라 물방울이 흘러내린다.

6 **물의 순환 과정 모형을 실제 물의 순환과 비교할 때, 태양에 해당하는 것은 어느 것입니까?** ( )

① 물 ② 모래 ③ 열 전구 스탠드
④ 플라스틱 컵 안 ⑤ 모래 위 조각 얼음

물의 순환으로 일어나는 현상

7 **물의 순환에 대한 설명으로 옳은 것은 어느 것입니까?** ( )

① 물은 한곳에만 머물러 있다.
② 물이 순환할 때에는 상태가 변하지 않는다.
③ 물이 순환하면서 지구 전체 물의 양은 변한다.
④ 물의 순환은 지형을 오랜 시간 동안 유지시킨다.
⑤ 물은 사람의 몸속을 이동하면서 생명을 유지시킨다.

24일차

물의 중요성과 물 부족 현상

탐구로 시작하기 물의 이용 알아보기

과정 및 결과

⊕ **수력 발전** 높은 곳에서 낮은 곳으로 떨어지는 물의 힘을 이용하여 발전기를 돌려 전기를 만드는 방식

1 우리 생활에서 물을 이용하는 예를 찾아봅시다.

생명을 유지하기 위해 물을 마십니다.

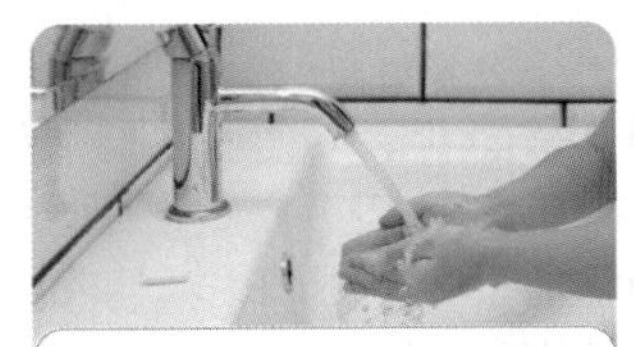
몸을 씻을 때 물을 이용합니다.

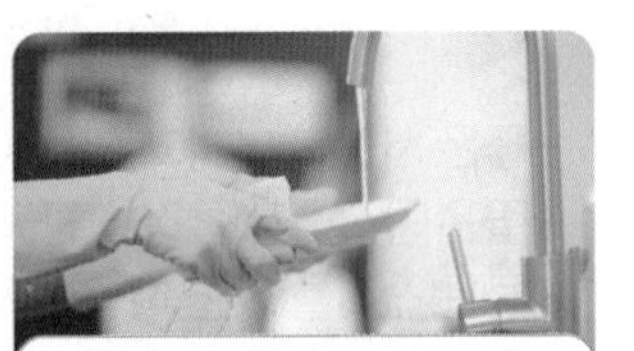
설거지, 청소, 세탁을 할 때 물을 이용합니다.

농작물을 키울 때 물을 이용합니다.

⊕수력 발전으로 전기를 만들 때 물을 이용합니다.

공장에서 물건을 만들 때 물을 이용합니다.

불을 끌 때 물을 이용합니다.

물에 배를 띄워 이동할 수 있습니다.

물이 만든 지형을 관광지로 이용합니다.

생선을 보관할 때 얼음을 이용합니다.

스키를 탈 때 얼음과 눈을 이용합니다.

요리할 때 물을 이용합니다.
└ 찔 때는 수증기를 이용합니다.

2 학교에서 물이 나오지 않는다면 어떤 일이 일어날지 이야기해 봅시다.

➔ 체육 시간이 끝난 후 손을 씻지 못할 것입니다. 요리를 할 수 없어서 급식을 먹지 못할 것입니다. 화장실의 물을 내리지 못해 냄새가 날 것입니다.

정리

- **물은 우리 생활에서 어떻게 이용되나요?**

➔ 물은 생명을 유지할 때, 몸이나 물건을 깨끗이 할 때, 농작물을 키울 때, 전기를 만들 때, 공장에서 물건을 만들 때 등 다양하게 이용됩니다.

- **물이 중요한 까닭은 무엇일까요?**

➔ 물은 우리 생활에 다양하게 이용되며, 생물의 생명을 유지해 주기 때문입니다.

8 개념 이해하기

1 물의 이용과 물의 중요성

물의 이용		물이 중요한 까닭
• 물은 사람이 마시고 씻을 때 이용됩니다. • 물은 공장에서 물건을 만들 때 이용됩니다. • 물은 전기를 만들 때 이용됩니다. • 물은 농작물을 키울 때 이용됩니다.	➜	물은 우리 생활에 다양하게 이용되고, 동물이나 식물이 생명을 유지하는 데 필요하기 때문입니다. (= 물을 소중하게 여겨야 하는 까닭)

2 물 부족 현상

⊕ **인구** 일정한 지역에 사는 사람의 수
⊕ **산업** 인간의 생활을 경제적으로 풍요롭게 하기 위해 물건이나 서비스를 만드는 일

물 부족 현상의 원인

• 어떤 지역은 자연 환경 변화로 비가 적게 내립니다.
• ⊕인구 증가로 물의 이용량이 늘어났습니다.
• ⊕산업 발달로 물의 이용량이 늘어나고 물이 오염되기도 하였습니다.
• 물 낭비로 이용할 수 있는 물이 부족해지고 있습니다.

물이 부족해지면 일어나는 일

• 마실 수 있는 깨끗한 물을 구하기 어려워집니다.
• 농작물이 시들어 제대로 자랄 수 없습니다.
• 강이나 호수가 말라 그곳에 사는 동식물이 살 수 없습니다.
• 더러운 물을 마시고 전염병이나 설사병에 걸릴 수 있습니다.
• 국가 간에 물 분쟁이 일어날 수 있습니다.

1990년 터키에서는 댐에 물을 채우기 위해 유프라테스강을 막았습니다. 이로 인해 같은 강이 지나는 주변의 국가들과 분쟁이 나기도 했습니다.

▲ 마실 수 있는 물 부족

▲ 시들어가는 농작물

3 물 부족 현상을 해결하는 방법

물 아껴 쓰기, 창의적인 방법으로 물 모으기, 물 오염하지 않기 등이 있습니다.

① 물 아껴 쓰기

▲ 양치할 때 컵에 물 받아 하기, 수도꼭지 잠그기

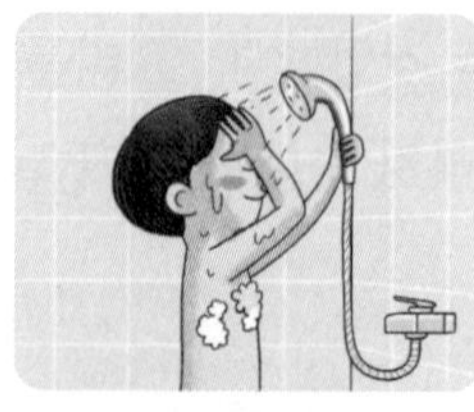
▲ 욕조에 물을 받기보다는 샤워기 사용하기

▲ 빨래는 모아서 한꺼번에 하기

▲ 설거지할 때 물 받아서 하기

▲ 모아 둔 빗물로 화단에 물 주기

물을 아껴 써야 하는 까닭: 우리가 이용할 수 있는 물의 양은 줄어들고 있는데, 이용했던 물을 다시 이용할 수 있을 때까지는 오랜 시간이 걸리고 비용이 많이 들기 때문입니다.

└ 오랜 시간: 자연에서 물의 순환 과정을 거치며 깨끗해집니다.
└ 비용: 우리가 오염된 물을 깨끗하게 만드는 데는 비용이 많이 듭니다.

② 창의적인 방법으로 물 모으기: 물이 부족한 나라의 물 부족 해결에 도움이 됩니다.

해수 ⊕담수화

바닷물에 있는 소금 성분을 없애 우리가 이용할 수 있는 물로 바꾸는 기술

⊕ **담수** 소금기가 없는 물

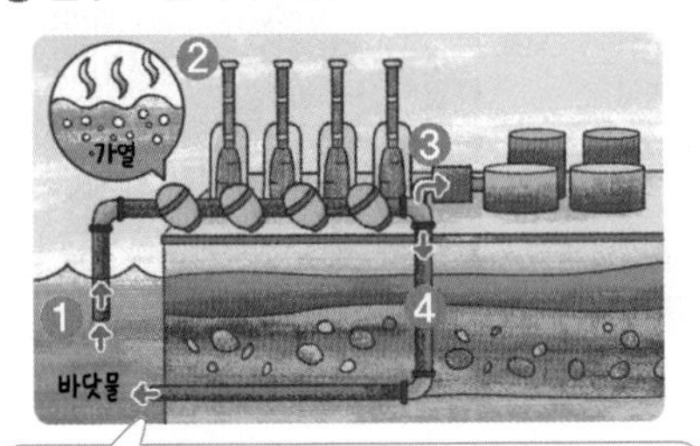

① 바닷물을 끌어올립니다.
② 바닷물에서 소금 성분을 없앱니다.
③ 소금 성분을 없앤 물을 필요한 곳에 보냅니다.
④ 소금 성분이 있는 물은 다시 바다로 보냅니다.

안개 ⊕포집기(안개 수집기)

건조한 지역 중 안개가 자주 발생하는 곳에 그물망을 설치하여 작은 물방울을 모으는 장치 응결(기체 → 액체)

⊕ **포집** 일정한 물질 속에 있는 적은 양의 성분을 분리하여 모으는 일

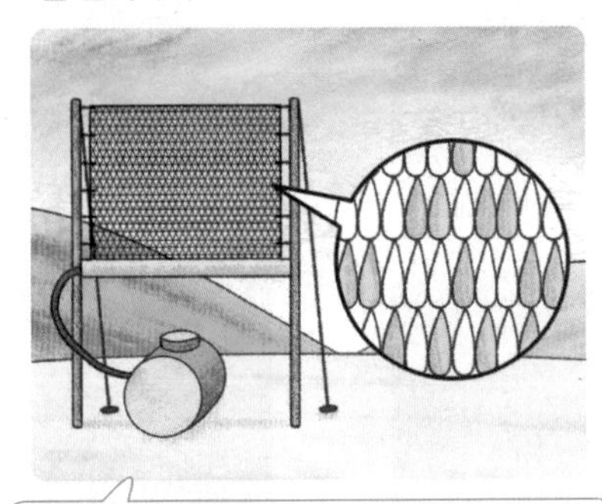

작은 물방울들이 그물망에 맺히고 그물망 아래 설치된 물통으로 모입니다.

와카워터

낮과 밤의 기온 차가 큰 지역에 설치하여 공기 중의 수증기를 물로 모으는 장치 응결(기체 → 액체)

물이 부족한 아프리카, 사막 지역에서 이용할 수 있습니다.

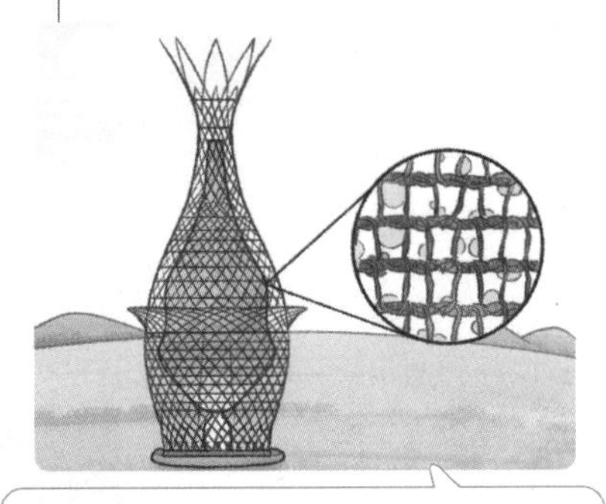

밤에 기온이 내려가면 수증기가 응결하여 장치에 물방울이 맺힙니다.

빗물 저금통(빗물 저장소)

비가 올 때 빗물을 모아 두었다가 필요할 때 사용할 수 있는 장치

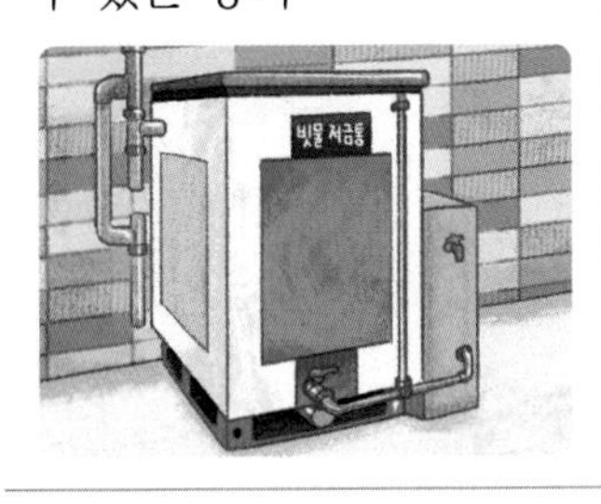

움직임 자동 감지 수도꼭지

사람의 움직임을 ⊕감지할 때만 물이 나오는 수도꼭지

⊕ **감지** 느끼어 아는 것

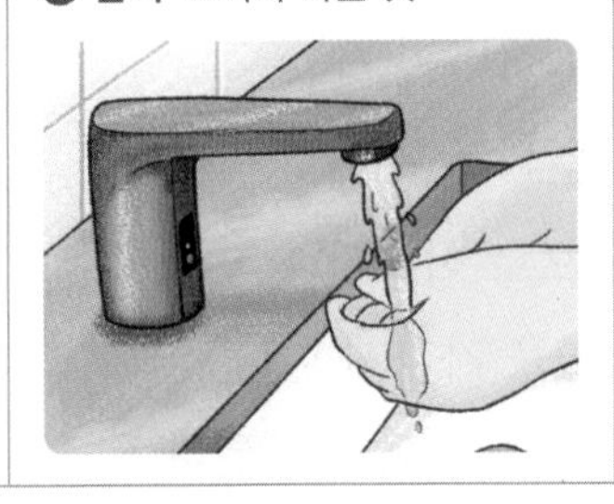

머니 메이커

발로 페달을 밟아 땅속의 물을 퍼 올리는 장치

가뭄이 심한 나라에서 농사지을 때 이용할 수 있습니다.

솔라볼 → 정수기

더러운 물을 넣으면, 물이 증발했다가 응결하여 깨끗한 물이 모이는 장치

핵심 개념 확인하기

정답과 해설 ● 16쪽

물의 이용과 물의 중요성

- **물의 이용**: 사람이 마시고 씻을 때, 공장에서 물건을 만들 때, 전기를 만들 때, 농작물을 키울 때
- **물이 중요한 까닭**: 물은 우리 생활에 다양하게 이용되며, 동물이나 식물이 ❶ ☐☐을 유지하는 데 필요하기 때문입니다.

물 부족 현상

- **원인**: 자연 환경 변화, ❷ ☐☐ 증가, 산업 발달, 물 낭비 등
- **일어나는 일**: 마실 수 있는 물을 구하기 어려워지고, 농작물이 자라기 어렵습니다.

물 부족 현상을 해결하는 방법: 물 아껴 쓰기, 창의적인 방법으로 물 모으기, 물 오염하지 않기

- **해수 ❸ ☐☐☐**: 바닷물에 있는 소금 성분을 없애 우리가 이용할 수 있는 물로 바꾸는 기술
- **빗물 저금통**: 비가 올 때 빗물을 모아 두었다가 필요할 때 사용할 수 있는 장치

문제로 완성하기

물의 이용 알아보기

1 **우리 생활에서 물을 이용하는 예가 <u>아닌</u> 것은 어느 것입니까?** (　　　)

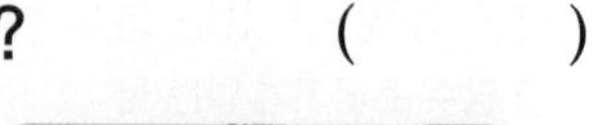

① 
▲ 농작물을 키울 때

② 
▲ 바람개비를 돌릴 때

③ 
▲ 전기를 만들 때

④ 
▲ 불을 끌 때

⑤ 
▲ 공장에서 물건을 만들 때

물의 이용과 물의 중요성

2 **물이 중요한 까닭으로 옳지 <u>않은</u> 것은 어느 것입니까?** (　　　)

① 물이 만든 지형은 관광 자원으로 이용된다.
② 물은 땅속에 스며들어 농작물을 자라게 한다.
③ 물은 우리 생활에서 전기를 만들 때만 이용된다.
④ 물은 동물이나 식물의 몸속에 들어가 생명을 유지시킨다.
⑤ 물을 이용해 요리를 할 수 있고, 얼음은 생선이 상하지 않게 한다.

물 부족 현상

3 **세계 여러 나라에서 물이 부족한 원인으로 옳지 <u>않은</u> 것은 어느 것입니까?** (　　　)

① 인구가 증가하고 있기 때문이다.
② 사람들이 물을 아껴 쓰지 않기 때문이다.
③ 산업 발달로 물 이용량이 증가했기 때문이다.
④ 자연 환경이 변하여 비가 적게 내리기 때문이다.
⑤ 한 번 이용한 물은 다시 이용할 수 없기 때문이다.

물 부족 현상을 해결하는 방법

4 **물 부족 현상을 해결하기 위해 물을 아껴 쓰는 방법을 옳게 설명한 사람의 이름을 써 봅시다.**

- 지호: 빨래는 쌓이지 않도록 즉시 해야 해.
- 명인: 설거지할 때는 물을 받아서 해야 해.
- 수지: 양치할 때는 수도꼭지를 틀고 흐르는 물에 해야 해.
- 시후: 목욕할 때는 샤워기를 사용하지 않고 욕조에 물을 받아 사용해야 해.

( )

5 **다음은 물을 아껴 써야 하는 까닭을 설명한 것입니다. ( ) 안에 알맞은 말을 옳게 짝 지은 것은 어느 것입니까?** ( )

우리가 이용할 수 있는 물의 양은 점점 (㉠), 이용했던 물을 다시 이용할 수 있을 때까지는 시간과 비용이 (㉡) 들기 때문에 물을 아껴 써야 한다.

	㉠	㉡
①	변함없고	적게
②	줄어들고	적게
③	줄어들고	많이
④	늘어나고	적게
⑤	늘어나고	많이

6 **오른쪽은 물 부족 현상을 해결하기 위해 물을 모으는 방법 중 하나입니다. 이에 대한 설명으로 옳은 것은 어느 것입니까?** ( )

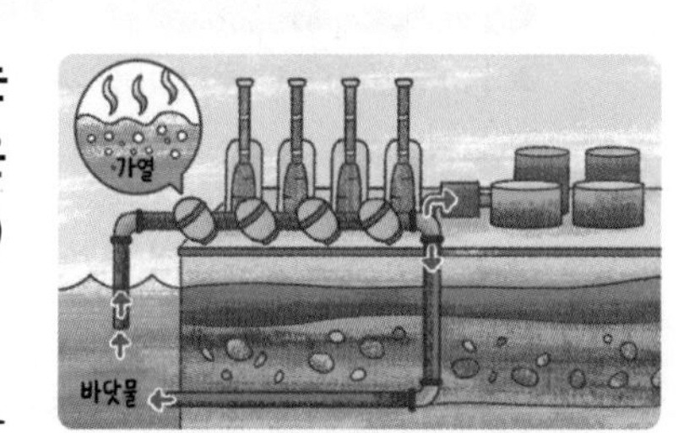

① 안개 속에서 작은 물방울을 모으는 방법이다.
② 비가 올 때 빗물을 모아 두었다가 사용할 수 있는 방법이다.
③ 발로 페달을 밟아 땅속에 있는 물을 퍼 올리는 방법이다.
④ 낮과 밤의 기온 차가 큰 지역에서 응결을 이용하여 물을 모으는 방법이다.
⑤ 바닷물에 들어 있는 소금 성분을 없애고 이용할 수 있는 물로 바꾸는 방법이다.

스스로 정리하기

특별 부록 

정답과 해설 • 16쪽

다음에서 밑줄에 들어갈 문장을 골라 써서 생각 그물을 완성해 보세요.

- 응결하여 구름이 되며
- 증발하여 수증기가 되고
- 우리 생활에 다양하게 이용되고
- 우리가 이용할 수 있는 물이 부족해지고 있다.
- 창의적인 방법으로 물을 모으며, 물을 오염하지 않아야 한다.
- 육지, 바다, 공기 중, 생명체 등 여러 곳을 끊임없이 돌고 도는 과정

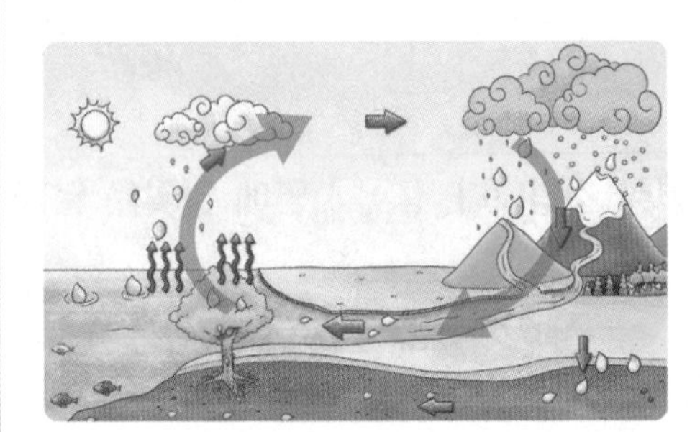

물의 순환은 물이 상태가 변하면서 ❶ ________________ 이다.

바다에 있던 물은 ❷ ________________,

공기 중의 수증기는 ❸ ________________,

구름 속 물방울은 비나 눈으로 내리고, 강을 따라 바다로 모인다.

물의 순환

물의 여행

물의 이용과 물의 중요성

▲ 농작물을 키울 때 물이 이용됩니다.

▲ 공장에서 물건을 만들 때 물이 이용됩니다.

물은 ❹ ________________,

동물이나 식물이 생명을 유지하는 데 필요하기 때문에 중요하다.

물 부족 현상과 해결 방법

자연 현상 변화, 인구 증가, 산업 발달, 물 낭비 등으로

❺ ________________

▲ 컵에 물을 받아 사용하기

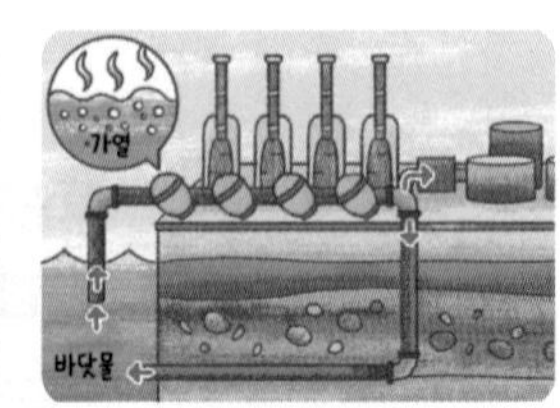

▲ 해수 담수화

물 부족 현상을 해결하기 위해서는 물을 아껴 쓰고,

❻ ________________

단원 평가하기

(맞은 개수 개)

정답과 해설 • 16쪽

1 물이 고체 상태로 있는 곳은 어디입니까? ( )

① 
▲ 강

② 
▲ 비

③ 
▲ 과일

④ 
▲ 빙하

⑤
▲ 안개

중요

2 다음은 물의 순환 과정입니다. 이에 대한 설명으로 옳지 않은 것은 어느 것입니까? ( )

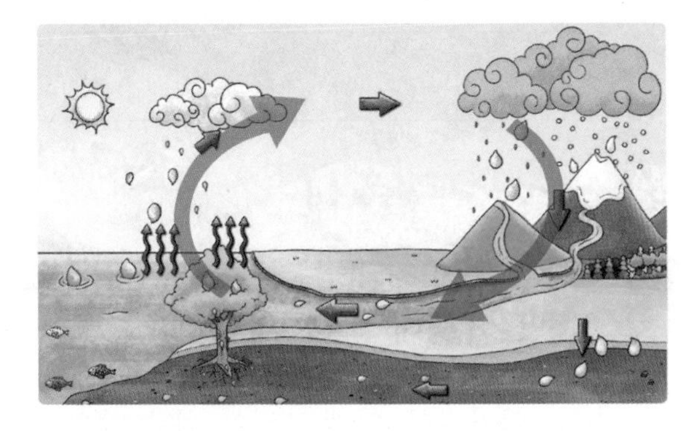

① 바다에서 물이 증발하여 수증기가 된다.
② 공기 중의 수증기가 응결하여 구름이 된다.
③ 구름 속 물방울은 비가 되어 내린다.
④ 내린 빗물은 모두 땅속으로 스며든다.
⑤ 땅속에 스며든 빗물은 식물의 뿌리로 흡수된다.

중요

3 물의 순환 과정에서 ㉠이 ㉡으로 될 때의 상태 변화로 옳은 것은 어느 것입니까? ( )

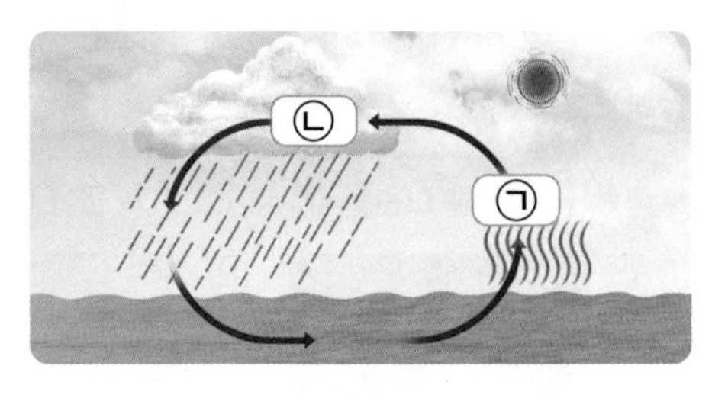

① 물 → 얼음 ② 얼음 → 물
③ 물 → 수증기 ④ 수증기 → 물
⑤ 얼음 → 수증기

중요 서술형

4 다음은 물의 순환 과정 모형입니다.

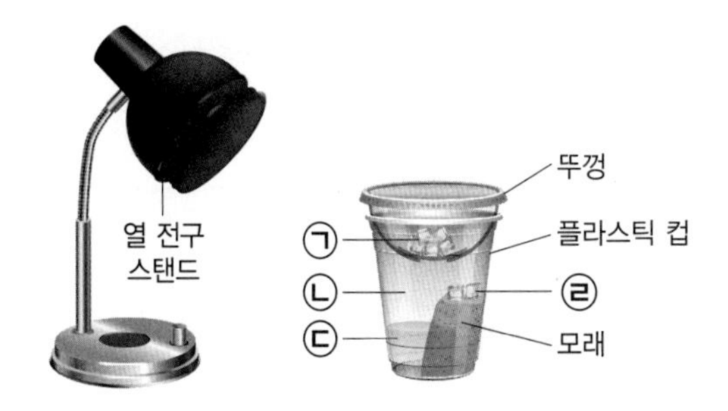

(1) 열 전구 스탠드를 켜기 전, ㉠~㉣ 중 물이 액체 상태인 곳을 골라 기호를 써 봅시다.

( )

(2) 열 전구 스탠드를 켜고 시간이 지나면서 컵 안에서 일어나는 물의 순환 과정을 써 봅시다.

5 지구에 있는 물에 대한 설명으로 옳지 않은 것을 보기 에서 골라 기호를 써 봅시다.

보기
㉠ 물은 상태가 변하면서 순환한다.
㉡ 물이 순환하면서 물의 양이 줄어든다.
㉢ 물이 순환하면서 날씨 변화가 일어난다.

( )

6 물이 생명을 유지하는 데 이용되는 경우를 보기 에서 모두 골라 기호를 써 봅시다.

보기

㉠ ▲ 생선을 보관할 때
㉡ ▲ 물을 마실 때
㉢ ▲ 전기를 만들 때
㉣ ▲ 농작물을 키울 때

(　　　　　　　　)

중요

7 물의 이용에 대한 설명으로 옳지 않은 것은 어느 것입니까? (　　　)

① 물건을 씻을 때 물을 이용한다.
② 공장에서 물건을 만들 때 물을 이용한다.
③ 물건을 이동시킬 때 반드시 물이 필요하다.
④ 우리가 이용한 물은 다시 우리에게 올 수 있다.
⑤ 한 곳에서 이용된 물은 다른 곳에서 다시 이용할 수 있다.

중요 서술형

8 물이 중요한 까닭을 써 봅시다.

____

____

9 세계 여러 나라에서 물이 부족한 원인으로 옳은 것을 보기 에서 골라 기호를 써 봅시다.

보기
㉠ 사람들이 물을 아껴 쓰기 때문이다.
㉡ 인구가 증가하여 물 이용량이 늘어났기 때문이다.
㉢ 물이 오염되어 이용할 수 있는 물의 양이 늘어났기 때문이다.

(　　　　　　　　)

10 물 부족 현상으로 겪을 수 있는 어려움이 아닌 것은 어느 것입니까? (　　　)

① 농작물이 시들어 제대로 자랄 수 없다.
② 더러운 물을 마셔 전염병에 걸릴 수 있다.
③ 강이 말라 그곳에 살던 동물이 살 수 없다.
④ 물을 확보하기 위한 기술이 개발되고 있다.
⑤ 강을 막아 댐을 건설하면, 같은 강이 흐르는 주변 국가가 물 부족 현상을 겪을 수 있다.

중요 서술형

11 물을 아껴 쓰기 위해 우리가 실천할 수 있는 일을 한 가지 써 봅시다.

____

____

12 다음 설명에 해당하는 물을 모으는 방법을 주어진 단어 중에서 골라 써 봅시다.

와카워터, 안개 포집기, 해수 담수화

(1) 그물망을 설치하여 공기 중의 작은 물방울을 모으는 장치: (　　　　　　　　)
(2) 낮과 밤의 기온 차가 큰 곳에서 공기 중의 수증기를 물로 모으는 장치:
(　　　　　　　　)

생 생 한 과 학 의 즐 거 움 ! 과 학 은 역 시 !

새 교과서 반영

오투 정답과 해설

초등 과학 4-2

책 속의 가접 별책 (특허 제 0557442호)

'정답과 해설'은 본책에서 쉽게 분리할 수 있도록 제작되었으므로
유통 과정에서 분리될 수 있으나 파본이 아닌 정상제품입니다.

visang

ABOVE IMAGINATION

우리는 남다른 상상과 혁신으로
교육 문화의 새로운 전형을 만들어
모든 이의 행복한 경험과 성장에 기여한다

오투 정답과 해설

초등 과학

4-2

정답과 해설

1. 식물의 생활

01일차 잎의 특징에 따른 식물 분류

핵심 개념 확인하기 9쪽

❶ 톱니 ❷ 두 ❸ 세
❹ 털 ❺ 강아지풀 ❻ 단풍나무
❼ 토끼풀

문제로 완성하기 10~11쪽

1 ㉠: 잎맥, ㉡: 잎몸, ㉢: 잎자루
2 ② 3 ④ 4 ①
5 (가) ㉡, ㉣, ㉥ (나) ㉠, ㉢, ㉤
6 ⑤

1 ㉠은 잎몸에서 선처럼 보이는 잎맥, ㉡은 잎맥이 퍼져 있는 잎의 납작한 부분인 잎몸, ㉢은 잎몸과 줄기 사이에 있는 부분인 잎자루입니다.

2 잎이 바늘처럼 길고 뾰족하며, 한곳에 두 개씩 뭉쳐 나는 것은 소나무입니다.

3 단풍나무 잎은 손바닥 모양으로 갈라져 있으며 잎의 끝이 뾰족합니다.

오답 바로잡기

① 잎이 긴 편이다.
↳ 잎이 길지 않습니다.
② 잎에 털이 있다.
↳ 잎에 털이 없습니다.
③ 잎이 한곳에 여러 개씩 난다.
↳ 잎이 한곳에 한 개씩 납니다.
⑤ 잎의 끝은 둥글고, 잎의 가장자리가 톱니 모양이다.
↳ 잎의 끝이 뾰족하고, 잎의 가장자리가 톱니 모양입니다.

4 사람마다 '예쁘다'고 판단하는 기준이 다를 수 있기 때문에 '잎의 색깔이 예쁜가?'는 분류 기준으로 알맞지 않습니다.

5 벚나무, 토끼풀, 단풍나무는 잎의 가장자리가 톱니 모양이지만, 나팔꽃, 소나무, 강아지풀은 잎의 가장자리가 매끈합니다.

6 소나무와 강아지풀은 잎이 가늘고 길쭉하지만, 나팔꽃, 벚나무, 토끼풀, 단풍나무는 그렇지 않습니다.

02일차 들이나 산에서 사는 식물

핵심 개념 확인하기 15쪽

❶ 강아지풀 ❷ 소나무 ❸ 줄기
❹ 뿌리 ❺ 큽 ❻ 굵

문제로 완성하기 16~17쪽

1 ② 2 (1) ㉠, ㉢, ㉤ (2) ㉡, ㉣, ㉥
3 ㉡ 4 ⑤ 5 ⑤
6 ㉠

1 강아지풀은 한해살이 식물입니다.

2 들이나 산에서 사는 식물은 풀과 나무로 구분됩니다. 토끼풀, 민들레, 명아주는 풀이고, 소나무, 단풍나무, 밤나무는 나무입니다.

3 잎이 바늘 모양이며 한곳에 두 개씩 뭉쳐나고, 겨울에도 잎이 초록색을 유지하는 식물은 소나무입니다.

4 닭의장풀은 풀이고 떡갈나무는 나무입니다. 닭의장풀과 떡갈나무는 모두 뿌리, 줄기, 잎이 구분됩니다. 닭의장풀은 떡갈나무보다 키가 작고 줄기가 가늡니다.

5 (가)는 풀, (나)는 나무입니다. 나무는 풀보다 키가 크고 줄기가 굵습니다. 풀과 나무 모두 땅속에 뿌리를 내립니다.

6 들이나 산에서 사는 식물의 공통적인 특징은 뿌리, 줄기, 잎이 구분되며, 땅에 뿌리를 내리고 사는 것입니다.

03일차 강이나 연못에서 사는 식물

핵심 개념 확인하기 21쪽

❶ 나사말 ❷ 부레옥잠 ❸ 수련
❹ 연꽃 ❺ 휘어 ❻ 공기주머니

문제로 완성하기 22~23쪽

1 ⑤ 2 ㉡ 3 적응
4 ㉢, ㉥ 5 ㉡ 6 ④

1 자른 부레옥잠의 잎자루를 물속에 넣고 손가락으로 누르면 공기 방울이 나와 위로 올라갑니다.

2 부레옥잠은 볼록한 잎자루에 공기가 들어 있기 때문에 물에 떠서 살 수 있습니다.

3 식물은 다양한 환경에 적응하여 살아갑니다.

4 검정말은 물속에 잠겨서 사는 식물이고, 부레옥잠과 개구리밥은 물에 떠서 사는 식물입니다. 수련은 잎이 물에 떠 있는 식물이고, 연꽃과 부들은 잎이 물 위로 높이 자라는 식물입니다.

5 부레옥잠은 수염 모양의 뿌리가 있고, 잎몸이 둥글며 잎자루가 볼록하게 부풀어 있는 모양입니다.

6 물에 잠겨서 사는 식물은 대부분 잎이 좁고 긴 모양이며, 줄기와 잎이 물의 흐름에 따라 잘 휘어집니다.

오답 바로잡기

① 뿌리가 물에 뜬다.
↳ 뿌리는 물속의 땅에 있습니다.
② 잎이 넓고 둥글다.
↳ 잎이 좁고 깁니다.
③ 키가 크고 줄기가 단단하다.
↳ 키가 작고 줄기가 가늘어 물의 흐름에 따라 잘 휘어집니다.
⑤ 공기를 저장할 수 있는 공기주머니를 가지고 있다.
↳ 공기주머니를 가지고 있지 않습니다.

04일차 사막이나 극지방에서 사는 식물

핵심 개념 확인하기 27쪽

❶ 바오바브 ❷ 물 ❸ 잎
❹ 작

문제로 완성하기 28~29쪽

1 ④	2 물	3 ⑤
4 ①, ③	5 ⑤	6 ㉠

1 선인장은 굵은 줄기에 물을 저장하고 있어서 줄기를 자른 면이 미끄럽고 축축합니다.

2 선인장은 굵은 줄기에 물을 저장하고 있어서 물이 부족한 사막에서 살 수 있습니다.

3 금호선인장은 사막에서 사는 식물입니다. 사막은 햇빛이 강하고 건조하며 물이 적은 환경입니다.

4 용설란과 바오바브나무는 사막에서 사는 식물입니다. 남극구슬이끼와 북극이끼장구채는 극지방에서 사는 식물입니다.

5 바오바브나무는 키가 크고 줄기가 매우 굵어서 줄기에 물을 많이 저장할 수 있습니다.

6 극지방에는 남극구슬이끼, 남극좀새풀, 북극버들, 북극이끼장구채 등이 삽니다. 리돕스는 사막에서 사는 식물입니다. 극지방에서 사는 식물은 키가 작아서 추위와 강한 바람의 영향을 적게 받습니다.

05일차 식물의 특징을 활용한 예

핵심 개념 확인하기 33쪽

❶ 찍찍이 테이프 ❷ 연잎
❸ 단풍나무 ❹ 가시

문제로 완성하기 34~35쪽

1 ②, ④	2 ㉡	3 ㉠
4 ㉢	5 ③	6 ②

1 도꼬마리 열매는 천에 잘 붙고 쉽게 떨어지지 않습니다. 열매의 가시를 확대해서 보면 가시 끝이 갈고리 모양으로 휘어 있습니다.

2 찍찍이 테이프는 도꼬마리 열매의 가시 끝이 갈고리처럼 휘어 있어 천에 잘 붙는 성질을 활용해 만든 것입니다. 물이 스며들지 않는 옷감은 연잎의 표면에 작은 돌기가 있어 물에 젖지 않는 성질을 활용해 만든 것이고, 바람을 타고 회전하는 드론은 단풍나무 열매가 바람을 타고 빙글빙글 돌면서 멀리 날아가는 성질을 활용해 만든 것입니다.

3 연잎 표면의 작은 돌기를 모방하여 빗물이 금방 굴러 떨어지는 유리 코팅제를 만들었습니다.

4 헬리콥터의 프로펠러는 떨어지면서 회전하는 단풍나무 열매의 특징을 활용하여 만들었습니다.

5 가시철조망은 장미 덩굴의 가시를 활용하여 만들었습니다.

6 나뭇가지가 뻗은 모양을 활용하여 햇빛을 효율적으로 받을 수 있는 태양 전지판 나무를 만들었습니다.

01~05일차

스스로 정리하기 36쪽

❶ 잎의 모양이 가늘고 길쭉한가? ❷ 잎의 가장자리가 톱니 모양인가? ❸ 뿌리, 줄기, 잎이 구분되며, 땅에 뿌리를 내린다. ❹ 물에 떠서 사는 식물 ❺ 잎이 물 위에 떠 있는 식물 ❻ 줄기나 잎에 물을 저장한다. ❼ 찍찍이 테이프를 만들었다. ❽ 물이 스며들지 않는 옷감을 만들었다.

단원 평가하기 37~39쪽

1 ⑤ 2 ㉢ 3 ⑤
4 ④ 5 ③ 6 ㉢
7 ㉡, ㉢ 8 ㉡ 9 공기
10 ⑤ 11 ④ 12 ④
13 모범 답안 잎이 좁고 길다. 줄기와 잎이 물의 흐름에 따라 잘 휘어진다.
14 ㉡, ㉢ 15 ①
16 모범 답안 키가 크고 줄기가 굵어서 줄기에 물을 많이 저장할 수 있다.
17 ㉠, ㉢ 18 ⑤ 19 ㉠
20 ③, ⑤

1 강아지풀은 잎의 가장자리가 매끈합니다.

2 단풍나무는 잎이 갈라져 있고, 벚나무와 토끼풀은 잎이 갈라져 있지 않습니다.

3 벚나무, 토끼풀, 단풍나무 잎은 모두 잎의 가장자리가 톱니 모양입니다.

4 잎을 만지면 털이 느껴지는 것과 그렇지 않은 것으로 분류한 것입니다. 나팔꽃과 강아지풀은 만지면 털이 느껴지지만 단풍나무와 소나무는 그렇지 않습니다.

5 들이나 산에서 사는 식물 중 풀은 대부분 한해살이 식물이고, 나무는 모두 여러해살이 식물입니다.

6 떡갈나무는 잎의 가장자리가 물결 모양입니다.

7 밤나무는 나무이고, 강아지풀과 민들레는 모두 풀입니다.

8 단풍나무는 토끼풀보다 키가 크고 줄기가 굵습니다.

오답 바로잡기

㉠ 토끼풀은 단풍나무보다 키가 크다.
→ 토끼풀은 단풍나무보다 키가 작습니다.
㉢ 토끼풀은 여러해살이 식물이고 단풍나무는 한해살이 식물이다.
→ 토끼풀과 단풍나무는 모두 여러해살이 식물입니다.

9 부레옥잠 잎자루의 단면에 보이는 작은 구멍은 공기주머니입니다.

10 부레옥잠은 잎자루의 공기주머니에 공기가 들어 있기 때문에 물에 떠서 살 수 있습니다.

11 싸리는 들이나 산에서 사는 식물입니다.

12 수련은 잎과 꽃이 물 위에 떠 있는 식물입니다.

13 검정말, 나사말과 같이 물속에 잠겨서 사는 식물은 대부분 잎이 좁고 길며, 줄기와 잎이 물의 흐름에 따라 잘 휘어지는 특징이 있습니다.

채점 기준
물속에 잠겨서 사는 식물들이 물속 환경에 적응한 특징을 줄기와 잎의 모양이나 특징과 관련지어 옳게 썼다.

14 선인장은 굵은 줄기에 물을 저장하고 있고 잎이 가시 모양이어서 물이 밖으로 빠져나가는 것을 막으므로 물이 부족한 사막에서 살 수 있습니다.

15 용설란은 크고 두꺼운 잎에 물을 저장하여 물이 부족한 사막 환경에 적응하였습니다.

16 사막에서 사는 바오바브나무는 물이 적은 사막 환경에 적응하였습니다.

채점 기준
바오바브나무가 사막 환경에 적응한 특징을 키, 줄기와 관련지어 옳게 썼다.

17 남극구슬이끼와 북극버들은 기온이 매우 낮고 바람이 많이 부는 극지방에서 사는 식물입니다.

18 도꼬마리 열매 가시 끝이 갈고리 모양이어서 천에 잘 붙는 성질을 활용하여 찍찍이 테이프를 만들었습니다.

19 연잎은 표면에 작은 돌기가 많이 나 있어 물방울이 맺히는 특징을 활용해 빗물이 금방 굴러떨어지는 유리 코팅제를 만들었습니다.

20 단풍나무 열매가 떨어지면서 회전하는 특징을 이용하여 헬리콥터의 프로펠러, 바람을 타고 회전하는 드론을 만들었습니다.

2. 물의 상태 변화

06일차 물의 상태 변화

핵심 개념 확인하기 43쪽

❶ 고체 ❷ 액체 ❸ 기체
❹ 상태 변화

문제로 완성하기 44~45쪽

1 ② 2 ② 3 ㉢
4 ㉢ 5 ⑤
6 ㉠: 액체, ㉡: 고체, ㉢: 얼음

1 얼음(㉠)은 고체 상태로 모양이 일정하므로 흐르는 성질이 없으며 차갑고 단단합니다. 물(㉡)은 액체 상태로 모양이 일정하지 않고 흐르는 성질이 있습니다.

2 차가운 얼음을 따뜻한 손바닥에 올려놓으면 얼음이 녹아 물이 됩니다.

3 손에 묻은 물은 시간이 지나면 수증기가 되어 공기 중으로 날아가기 때문에 손에서 사라집니다.

4 액체인 물은 모양이 일정하지 않고 흐르는 성질이 있으므로 손으로 잡을 수 없습니다.

5 ㉠은 물의 기체 상태인 수증기입니다. 수증기는 우리 눈에 보이지 않지만 공기 중에 있습니다. 차갑고 단단하며 모양이 일정한 것은 물의 고체 상태인 얼음(㉢)입니다.

6 얼음과 소금이 섞여 녹으면서 주변의 열을 흡수하기 때문에 얼음의 온도가 낮아져 물을 빨리 얼릴 수 있습니다. 수조에 얼음과 소금을 넣고 잘 섞은 다음 물이 담긴 페트리 접시를 얼음 위에 올려놓으면 물이 차갑고 단단한 얼음으로 상태가 변합니다.

07일차 물이 얼거나 얼음이 녹을 때의 변화

핵심 개념 확인하기 49쪽

❶ 부피 ❷ 무게

문제로 완성하기 50~51쪽

1 ㉡ 2 ③ 3 ⑤
4 ② 5 다훈 6 ③

1 물이 얼어 얼음이 되면 부피가 늘어나기 때문에 얼음의 높이가 높아집니다.

2 물이 얼어도 무게는 변하지 않습니다.

3 물이 얼 때 부피는 늘어나고, 무게는 변하지 않습니다.

4 얼음이 녹아 물이 될 때 부피는 줄어들고, 무게는 변하지 않습니다. 이때 줄어든 부피는 물이 얼 때 늘어난 부피와 같습니다.

5 물이 얼어 부푼 페트병 안의 얼음이 녹을 때 크기가 줄어드는 것은 얼음이 녹으면서 물의 부피가 줄어들었기 때문입니다.

6 ①, ②, ④, ⑤는 물이 얼 때의 부피 변화와 관련된 현상이고, ③은 얼음이 녹을 때의 부피 변화와 관련된 현상입니다.

08일차 물이 증발할 때의 변화

핵심 개념 확인하기 55쪽

❶ 표면 ❷ 물 ❸ 수증기
❹ < ❺ > ❻ <
❼ 증발

문제로 완성하기 56~57쪽

1 ㉠: 낮아, ㉡: 표면 2 ④
3 증발 4 ⑤ 5 세진
6 ③

1 시간이 지나면 물의 표면에서 액체인 물이 기체인 수증기로 변하여 공기 중으로 날아가므로 비커 안에 있는 물의 높이가 낮아집니다.

2 화장지에 물을 뿌리면 처음에는 물기가 많아 축축하지만 시간이 지나면서 물기가 점점 줄어들어 일정한 시간이 지나면 화장지가 바싹 마릅니다.

오답 바로잡기

① 처음에는 물기가 거의 없다.
↳ 처음에는 물기가 많아 축축합니다.
② 물을 많이 뿌릴수록 빨리 마른다.
↳ 물을 적게 뿌릴수록 빨리 마릅니다.
③시간이 지나면서 점점 물기가 많아진다.
↳ 시간이 지나면서 물기가 점점 줄어듭니다.
⑤ 시간이 지나도 화장지의 축축한 정도는 변하지 않는다.
↳ 일정한 시간이 지나면 화장지가 바싹 마릅니다.

3 물의 표면에서 액체인 물이 기체인 수증기로 변하는 현상을 증발이라고 합니다.

4 널어 둔 두 물휴지의 물은 수증기로 변하여 공기 중으로 날아갑니다. 물휴지를 이용해 물의 증발이 잘 일어나는 조건을 알아보는 실험입니다. 물휴지는 넓게 펼쳐 널수록 더 빨리 마르고, 햇빛이 있는 따듯한 장소에서 더 빨리 마릅니다.

5 일정한 시간이 지나면 지퍼 백에 넣지 않은 색 도화지의 물로 그린 그림은 모두 사라져 보이지 않고, 지퍼 백에 넣어 입구를 잠가 놓아둔 색 도화지의 물로 그린 그림은 일부가 남아 있습니다. 즉 색 도화지에 물로 그린 그림은 지퍼 백 밖에 놓아두었을 때가 지퍼 백에 넣어 입구를 잠가 놓아두었을 때보다 빨리 마릅니다. 따라서 이 실험을 통해 공기가 잘 통할수록 증발이 잘 일어남을 알 수 있습니다.

6 ①, ②, ④, ⑤와 같이 액체인 물의 표면에서 기체인 수증기로 상태가 변하는 현상을 증발이라고 합니다. 추운 겨울에 호수의 물이 어는 것은 액체인 물이 고체인 얼음으로 상태가 변하는 현상입니다.

09일차 물이 끓을 때의 변화

핵심 개념 확인하기 61쪽

❶ 끓음 ❷ 물 ❸ 수증기
❹ 끓음 ❺ < ❻ 물
❼ 수증기 ❽ 표면 ❾ 속
❿ 빠르게

문제로 완성하기 62~63쪽

1 ①, ⑤ 2 ㉡ 3 ④
4 ㉡ 5 ② 6 ㉥

1 처음부터 물이 끓기 전까지 물의 표면은 거의 변화가 없는 것처럼 보이고, 물속은 시간이 지나면서 작은 기포가 조금씩 생깁니다. 물이 끓을 때 물속의 기포가 올라와 터지면서 물 표면이 울퉁불퉁해집니다.

2 물이 끓으면 물의 양이 줄어들어 물의 높이가 낮아집니다.

3 물을 가열할 때 물속에서 생기는 기포는 물이 수증기로 변한 것입니다.

오답 바로잡기

① 수증기가 물로 변하는 현상이다.
→ 끓음은 물의 표면과 물속에서 물이 수증기로 변하는 현상입니다.
② 물의 표면에서만 상태 변화가 일어난다.
→ 끓음은 물의 표면과 물속에서 상태 변화가 일어납니다.
③ 증발에 비해 물의 양이 더 천천히 줄어든다.
→ 끓음은 증발에 비해 물의 양이 더 빠르게 줄어듭니다.
⑤ 물을 가만히 두어도 일어날 수 있는 상태 변화이다.
→ 물을 가열해서 일정 온도에 도달해야만 물이 끓습니다.

4 ㉡은 물의 증발과 관련된 예입니다.

5 물이 증발할 때와 물이 끓을 때 모두 물이 수증기로 상태가 변합니다.

6 증발과 끓음 모두 액체 상태인 물이 기체 상태인 수증기로 변하는 현상입니다.

10일차 수증기가 물로 변하는 현상

핵심 개념 확인하기 67쪽

❶ 수증기 ❷ 물 ❸ 수증기
❹ 물방울 ❺ 응결

문제로 완성하기 68~69쪽

1 < 2 ②, ③ 3 ㉢
4 ㉠ 5 ④ 6 ㉠, ㉣

1 시간이 지날수록 주스와 얼음을 넣은 플라스틱 컵 표면에 맺힌 물방울이 커지고 흘러내려 은박 접시에 물이 고이므로 처음 무게보다 시간이 지난 뒤의 무게가 더 무겁습니다.

2 공기 중의 수증기가 컵 표면에 물방울로 맺히고, 물방울이 점점 커져 은박 접시 위로 흘러 물이 고입니다.

3 차가운 컵 표면에 생긴 물방울은 공기 중에 있던 수증기가 물로 상태가 변한 것입니다.

4 ㉠은 컵의 표면에서 응결이 일어나지 않습니다.

5 겨울철 따뜻한 실내로 들어오면 차가운 안경알 표면에 작은 물방울이 맺혀 뿌옇게 흐려지는데 이는 공기 중의 수증기(기체)가 응결해 물(액체)로 변한 것입니다.

6 팥빙수와 인공 눈을 만드는 것은 물이 얼음으로 변하는 상태 변화를 이용한 예입니다.

06~10일차

스스로 정리하기 70쪽

❶ 물이 다른 상태로 변하는 것 ❷ 부피가 줄어든다. ❸ 무게는 변하지 않는다. ❹ 물의 표면에서 물이 수증기로 변하는 현상 ❺ 물의 표면과 물속에서 물이 수증기로 변하는 현상 ❻ 수증기가 물로 변하는 현상

단원 평가하기 71~73쪽

1 ①, ② 2 ㉠: 액체, ㉡: 고체
3 모범 답안 물이 수증기로 변했기 때문이다.
4 ㉢
5 모범 답안 물이 얼기 전과 완전히 언 후의 무게는 같다.
6 ③ 7 부피 8 ㉢
9 ③ 10 ㉠ 11 ①, ②
12 ③, ⑤ 13 ㉡ 14 ③
15 모범 답안 물이 수증기로 상태가 변한다.
16 ③ 17 ㉠: 수증기, ㉡: 응결
18 ㉠
19 모범 답안 공기 중의 수증기가 차가운 컵 표면에 닿아 응결하여 물로 변해서 컵 표면에 달라붙었기 때문이다.
20 ④

1 얼음은 차갑고 단단하며, 모양이 일정합니다. 반면에 물은 손에 잡히지 않고 흐르는 성질이 있으며, 일정한 모양이 없어 담는 그릇에 따라 모양이 변합니다.

2 일정한 모양이 없는 물은 액체이고, 모양이 일정한 얼음은 고체이다.

3 손에 묻은 물은 시간이 지나면 수증기로 변해 공기 중으로 날아갑니다.

채점 기준
시간이 지났을 때 손에 묻은 물의 상태 변화를 옳게 썼다.

4 물이 얼어 얼음이 될 때 부피는 늘어납니다.

5 물이 얼어 얼음이 되어도 무게는 변하지 않습니다.

채점 기준
물이 얼기 전과 완전히 언 후의 무게는 변하지 않는다고 옳게 썼다.

6 얼음이 녹아 물이 될 때 무게는 변하지 않습니다.

7 물의 높이 변화를 통해 얼음이 녹을 때의 부피 변화를 알 수 있습니다.

8 ㉠, ㉡은 물이 얼면서 부피가 늘어나는 현상이고, ㉢은 얼음이 녹으면서 부피가 줄어드는 현상입니다.

9 비커에 담긴 물의 높이가 낮아지는 것과 물에 젖은 화장지가 마르는 것은 물의 표면에서 액체인 물이 기체인 수증기로 상태가 변하는 현상입니다.

10 펼쳐 놓은 물휴지는 한 번 접어놓은 물휴지보다 빨리 마르고, 햇빛이 있는 창가에 놓아둔 물휴지는 햇빛이 없는 곳에 놓아둔 물휴지보다 빨리 마릅니다.

11 젖은 머리카락이나 빨래, 고추 등을 말릴 때에는 물이 수증기로 변해 공기 중으로 날아가는 증발이 일어납니다.

12 물이 끓을 때는 큰 기포가 많이 생기고, 기포가 올라와 터지면서 물 표면이 울퉁불퉁해집니다.

13 물이 끓으면 물의 높이가 물이 끓기 전보다 낮아집니다.

14 감을 말려 곶감을 만들거나 염전에서 소금을 얻는 것은 물의 증발과 관련된 예입니다.

15 증발과 끓음 모두 액체인 물이 기체인 수증기로 상태가 변하여 공기 중으로 날아갑니다.

채점 기준
증발과 끓음의 공통점을 물의 상태 변화와 관련지어 옳게 썼다.

16 증발과 끓음은 모두 물이 수증기로 상태가 변하는 것으로, 증발은 물 표면에서만 상태 변화가 일어나고 끓음은 물 표면과 물속에서 상태 변화가 일어납니다.

17 공기 중의 수증기가 차가운 물체에 닿으면 응결하여 물이 됩니다.

18 공기 중의 수증기가 물이 되어 차가운 컵 표면에 맺히고, 컵 표면의 물이 은박 접시 위로 흘러 고입니다.

19 공기 중의 수증기가 응결하여 물로 변해서 컵 표면에 달라붙어 무게가 늘어납니다.

채점 기준
처음 무게와 나중 무게의 차이가 생긴 까닭을 공기 중의 수증기가 응결한 현상과 관련지어 옳게 썼다.

20 ①, ②, ③, ⑤는 기체인 수증기가 액체인 물로 상태가 변하는 응결의 예이고,④는 증발의 예입니다.

3. 그림자와 거울

11일차 그림자가 생기는 원리와 조건

핵심 개념 확인하기 77쪽

❶ 그림자 ❷ 빛 ❸ 물체
❹ 물체 ❺ 빛

문제로 완성하기 78~79쪽

1 ㉡ 2 빛(손전등), 공 3 ②
4 ㉡ 5 ㉠ 6 ㉠

1 공에 손전등 빛을 비추면 공이 빛을 가려 공의 뒤쪽 흰 종이에 빛이 닿지 않아서 ㉡에 그림자가 생깁니다.

2 그림자는 물체에 빛을 비추어야 생기므로 공의 그림자를 만들기 위해서는 빛(손전등)과 공이 필요합니다.

3 물체에 빛을 비추면 물체 뒤쪽에 그림자가 생깁니다.

오답 바로잡기

① 그림자는 물체의 앞쪽에 생긴다.
→ 그림자는 물체의 뒤쪽에 생깁니다.
③ 물체만 있으면 반드시 그림자가 생긴다.
④ 흰 종이와 빛만 있으면 반드시 그림자가 생긴다.
→ 빛과 물체가 모두 있어야 그림자가 생깁니다.
⑤ 물체와 빛의 색깔이 같을 때만 그림자가 생긴다.
→ 그림자는 물체와 빛의 색깔과 상관없이 생깁니다.

4 불을 켠 손전등 앞에 물체와 스크린을 순서대로 놓거나 불을 켠 손전등과 스크린 사이에 물체를 놓으면 스크린에 물체의 그림자가 생깁니다.

5 손전등 빛을 공을 바라보는 방향으로 비추면 스크린에 공의 그림자가 생깁니다.

6 햇빛이 물체를 비출 때는 물체에 그림자가 생기지만, 구름이 햇빛을 가렸을 때는 물체를 비추는 빛이 없으므로 그림자가 생기지 않습니다.

12일차 투명한 물체와 불투명한 물체의 그림자

핵심 개념 확인하기 83쪽

❶ 통과 ❷ 연한 ❸ 통과
❹ 진한 ❺ 진하기 ❻ 연한
❼ 진한 ❽ 연한 ❾ 진한

문제로 완성하기 84~85쪽

1 ② 2 ㉠ 3 ㉡
4 (1) - ㉡ (2) - ㉠ 5 ④
6 ㉣

1 책은 불투명한 물체로 빛이 통과하지 못합니다. 무색 비닐, 유리컵, 비닐 우산, 투명 플라스틱 컵은 투명한 물체로 빛이 대부분 통과합니다.

2 손전등 빛을 불투명한 도자기 컵에 비추면 진한 그림자가 생기고, 손전등 빛을 투명한 유리컵에 비추면 연한 그림자가 생깁니다.

3 손전등 빛이 불투명한 도자기 컵은 통과하지 못하고, 투명한 유리컵은 대부분 통과합니다.

4 투명한 물체에는 연한 그림자가 생기고, 불투명한 물체에는 진한 그림자가 생깁니다.

5 불투명한 물체에 그림자가 진하게 생기는 까닭은 빛이 나아가다가 불투명한 물체를 통과하지 못하기 때문입니다.

6 안경테는 빛이 통과하지 못하는 불투명한 물체로, 안경테에는 진한 그림자가 생깁니다.

13일차 빛의 성질과 그림자의 모양

핵심 개념 확인하기 89쪽

❶ 직진 ❷ 모양 ❸ 직진
❹ 방향

문제로 완성하기 90~91쪽

1 ㉢ 2 (1) - ㉡ (2) - ㉠ (3) - ㉢
3 ① 4 ㉡ 5 ㉠
6 ㉡

1 원 모양 종이에 빛을 비추었을 때 스크린에 생긴 그림자의 모양은 원 모양 종이와 같은 원 모양입니다.

2 여러 가지 모양 종이에 손전등 빛을 비추면 모양 종이와 같은 모양의 그림자가 생깁니다.

3 빛이 곧게 나아가기 때문에 물체의 모양과 비슷한 모양의 그림자가 물체 뒤쪽에 생깁니다.

4 물체를 놓은 방향에 따라 물체가 빛을 가리는 모양대로 물체의 그림자가 생깁니다. 모든 그림자의 모양과 물체의 모양이 비슷한 것은 ㉡입니다.

5 우유를 놓은 방향에 따라 그림자의 모양이 달라질 수 있습니다. 스크린에 생긴 그림자의 모양은 우유가 빛을 가리는 모양과 같은 ㉠ ■ 모양입니다.

6 둥근 기둥 모양 블록을 놓은 방향에 따라 다양한 모양의 그림자를 만들 수 있지만, 방향을 어떻게 돌려 보아도 ㉡ ●과 같은 모양의 그림자는 만들 수 없습니다.

14일차 그림자의 크기

핵심 개념 확인하기 95쪽

❶ 커 ❷ 작아 ❸ 가까이
❹ 멀리 ❺ 작아 ❻ 커

문제로 완성하기 96~97쪽

1 ㉠ 2 ㉠: 작아, ㉡: 커
3 ④ 4 ㉣ 5 ②
6 ㉡

1 물체와 스크린을 그대로 두었을 때 손전등을 물체에서 멀리 할수록 그림자의 크기가 작아집니다.

2 손전등을 물체에서 멀리 하면 그림자의 크기가 작아지고, 물체에 가까이 하면 그림자의 크기가 커집니다.

3 손전등과 물체 사이의 거리가 멀어지면 그림자의 크기가 작아지고, 손전등과 물체 사이의 거리가 가까워지면 그림자의 크기가 커집니다.

오답 바로잡기

① 물체의 크기에 따라 그림자의 크기가 달라진다.
↳ 문제의 실험 결과로 알 수 있는 사실이 아닙니다.
② 손전등을 물체에서 멀리 하면 그림자의 크기가 커진다.
↳ 손전등을 물체에서 멀리 하면 그림자의 크기가 작아집니다.
③ 손전등을 물체에 가까이 하면 그림자의 크기가 작아진다.
↳ 손전등을 물체에 가까이 하면 그림자의 크기가 커집니다.
⑤ 손전등과 물체 사이의 거리에 관계없이 그림자의 크기는 항상 같다.
↳ 손전등과 물체 사이의 거리에 따라 그림자의 크기가 달라집니다.

4 손전등과 스크린을 그대로 두었을 때 물체를 손전등에 가까이 할수록 그림자의 크기가 커집니다.

5 손전등과 스크린은 그대로 두고 물체를 손전등에 가까이 하면 그림자의 크기가 커지고, 물체를 손전등에서 멀리 하면 그림자의 크기가 작아집니다.

6 ㉠, ㉢처럼 손전등과 물체 사이의 거리가 가까워지면 그림자의 크기가 커지고, ㉡처럼 스크린과 물체 사이의 거리가 가까워지면 그림자의 크기가 작아집니다.

15일차 거울에 비친 물체의 모습

핵심 개념 확인하기 101쪽

❶ 같습니다 ❷ 상하 ❸ 좌우
❹ 좌우 ❺ 8 ❻ 반대
❼ 거울

문제로 완성하기 102~103쪽

1 ㉢ 2 ② 3 지후
4 ④ 5 ② 6 ③

1 실제 인형과 거울에 비친 인형의 색깔은 같고, 위로 올린 날개의 위치는 반대입니다.

2 글자를 거울에 비추어 보면 실제 글자와 좌우가 바뀌어 보입니다.

3 글자를 거울에 비추어 보면 글자의 좌우가 바뀌어 보이므로, 글자를 거울에 비추어 볼 때 글자가 바르게 보이도록 하려면 좌우를 바꾸어 써야 합니다.

4 '형'은 거울에 비추어 보면 '형'(좌우 반전)으로 좌우가 바뀌어 보이고, '응', '후', '표', '봄'은 좌우가 바뀌어도 원래 모양과 같은 글자입니다.

5 시계를 거울에 비추어 보면 시계의 좌우가 바뀌어 보이므로 시계가 가리키는 시각은 4시입니다.

6 자동차의 뒷거울을 통해 구급차에 쓰인 글자를 보면 좌우가 바뀌어서 글자가 바르게 보입니다.

16일차 거울과 빛의 반사

핵심 개념 확인하기 107쪽

❶ 방향	❷ 반사	❸ 거울
❹ 거울		

문제로 완성하기 108~109쪽

1 ㉠	2 ⑤	3 ①
4 ①	5 ㉡	6 ㉢

1 손전등 빛이 나아가다가 거울에 부딪치면 거울에서 빛의 방향이 바뀌어 나옵니다.

2 손전등 빛이 거울에 부딪치면 거울에서 방향이 바뀌어 나아갑니다.

3 빛이 나아가다가 거울에 부딪쳐 빛의 방향이 바뀌는 성질을 빛의 반사라고 합니다.

4 거울은 빛의 반사를 이용해 물체의 모습을 비추는 도구로, 거울에 빛이 부딪치면 빛의 방향을 바꿀 수 있습니다.

5 빛이 거울에 부딪치면 빛의 방향이 바뀌는 성질을 이용해 과녁판의 가운데에 빛을 보낼 수 있습니다.

6 파란색 깃발에 손전등 빛을 보내려면 첫 번째 거울에서 방향을 바꾼 빛이 ㉢에서 한 번 더 방향을 바꾸어야 하기 때문에 ㉢에 거울을 하나 더 놓아야 합니다.

17일차 우리 생활에서 이용하는 거울

핵심 개념 확인하기 113쪽

❶ 거울	❷ 화장대	❸ 모습
❹ 뒤	❺ 공간	❻ 예술품

문제로 완성하기 114~115쪽

1 거울	2 ④	3 ①
4 로아	5 ㉢	6 ㉠

1 옷 가게 거울과 신발 가게 거울은 모두 가게에서 거울을 이용하는 예입니다.

2 무용실 거울을 이용하여 무용하는 자신의 모습을 볼 수 있습니다.

3 신문을 볼 때는 거울을 이용하지 않습니다.

4 자동차 뒷거울은 뒤쪽에서 오는 다른 자동차의 위치를 확인하기 위해 이용합니다.

5 승강기 출입문을 투명한 물체로 만들어야 출입문이 열리지 않아도 승강기 안에서 승강기에 타려는 사람의 모습을 볼 수 있습니다. 승강기 거울은 자신의 모습을 볼 수도 있고, 시야가 확 트여 내부 공간이 넓어 보이는 효과를 줄 수도 있습니다.

6 거울을 이용해 건물을 만들 수 있으며, 거울 조각은 건물의 벽면 장식에 이용하기도 합니다.

11~17일차

스스로 정리하기 116쪽

❶ 빛을 비추어야 한다. ❷ 그림자의 진하기가 달라진다. ❸ 물체를 통과하지 못하기 때문이다. ❹ 그림자의 크기가 커진다. ❺ 좌우가 바뀌어 보인다. ❻ 나아가는 방향이 바뀌는 성질이다. ❼ 주변에 있는 다른 모습을 볼 수 있다.

단원 평가하기 117~119쪽

1 ① 2 ㉡
3 모범 답안 ㉠, 그림자는 물체에 빛을 비추어야 생긴다.
4 진한 5 ㉡ 6 ⑤
7 모범 답안 삼각형 모양, 스크린에 삼각형 모양 종이와 같은 모양의 그림자가 생기기 때문이다.
8 ① 9 ㉠: 직진, ㉡: 모양, ㉢: 방향
10 소향 11 ⑤ 12 ㉡
13 모범 답안 거울에 비친 물체의 색깔은 실제 물체의 색깔과 같고 물체의 상하는 바뀌지 않지만, 물체의 좌우가 바뀌어 보인다.
14 독도는 우리 땅 15 ㉡
16 모범 답안 손전등 빛이 거울에 부딪치면 거울에서 방향이 바뀌어 나온다.
17 ② 18 ④ 19 ⑤
20 ㉢

1 그림자를 만들기 위해서는 손전등이나 햇빛과 같은 빛과 물체가 필요합니다.

2 그림자는 물체에 빛을 비추어야 생깁니다. ㉡과 같은 순서로 놓고 공에 손전등 빛을 비추면 공의 뒤쪽 흰 종이에 그림자가 생깁니다.

3 햇빛이 비칠 때에는 물체에 그림자가 생기고, 구름이 햇빛을 가렸을 때에는 그림자가 사라집니다. 이처럼 물체에 빛을 비추어야 그림자가 생깁니다.

채점 기준	
상	그림자가 생기는 경우와 그림자가 생기는 조건을 모두 옳게 썼다.
하	그림자가 생기는 경우만 옳게 썼다.

4 빛이 나아가다가 불투명한 물체를 만나면 빛이 물체를 통과하지 못해 진한 그림자가 생기고 투명한 물체를 만나면 빛이 물체를 대부분 통과하여 연한 그림자가 생깁니다.

5 ㉠은 진한 그림자가 생기지만, ㉡은 연한 그림자가 생깁니다.

6 빛이 나아가다가 도자기 컵처럼 불투명한 물체를 만나면 빛이 물체를 통과하지 못해 진한 그림자가 생기고, 유리컵처럼 투명한 물체를 만나면 빛이 물체를 대부분 통과하여 연한 그림자가 생깁니다.

7 직진하는 빛이 물체를 만나서 물체를 통과하지 못하면 물체의 모양과 비슷한 모양의 그림자가 물체 뒤쪽에 생깁니다.

채점 기준	
상	그림자의 모양과 그렇게 생각한 까닭을 모두 옳게 썼다.
하	그림자의 모양만 옳게 썼다.

8 빛이 나아가다가 물체를 만나면 빛이 물체를 통과하지 못하여 그림자가 생깁니다. 이때 그림자의 모양은 물체가 빛을 가리는 모양대로 생깁니다.

9 빛이 직진하기 때문에 물체의 모양과 그림자의 모양이 비슷하고, 물체의 모양이 바뀌거나 물체를 놓은 방향이 달라지면 그림자의 모양이 달라지기도 합니다.

10 손전등을 물체에서 멀리 하면 그림자의 크기가 작아지고, 손전등을 물체에 가까이 하면 그림자의 크기가 커집니다.

11 손전등과 스크린을 그대로 두었을 때 물체를 손전등에 가까이 하면 그림자의 크기가 커지고, 물체를 손전등에서 멀리 하면 그림자의 크기가 작아집니다. 따라서 그림자의 크기는 ①>②>③>④>⑤순으로 작아집니다.

12 거울에 물체를 비추어 보면 좌우가 바뀌어 보입니다.

13 거울에 비친 물체의 색깔은 실제 물체의 색깔과 같고 물체의 상하는 바뀌어 보이지 않지만, 물체의 좌우가 바뀌어 보입니다.

채점 기준	
상	거울에 비친 물체의 모습과 실제 물체의 모습에서 공통점과 차이점을 모두 옳게 썼다.
하	거울에 비친 물체의 모습과 실제 물체의 모습에서 공통점과 차이점 중 한 가지만 옳게 썼다.

14 거울에 비친 글자는 좌우가 바뀌어 보이므로, 실제 글자 카드의 글자는 좌우를 바꾸어 쓰면 됩니다.

15 거울은 빛의 반사를 이용하여 물체의 모습을 비추는 도구입니다.

16 손전등 빛이 나아가다가 거울에 반사되면 빛의 방향이 바뀝니다.

채점 기준	
상	손전등 빛이 거울에 부딪치면 거울에서 방향이 바뀌어 나온다고 옳게 썼다.
하	빛의 반사라고만 썼다.

17 손전등 빛이 나아가는 길에 거울을 놓아 손전등 빛이 거울에 부딪치도록 하면 거울에서 빛의 방향이 바뀌므로 거울을 이용하면 과녁판의 가운데에 빛을 보낼 수 있습니다.

18 교실 유리창은 투명한 물체를 이용하여 채광 효과를 높인 예입니다.

19 자동차 뒷거울을 이용하여 뒤쪽에서 오는 다른 자동차의 위치를 확인할 수 있습니다.

20 거울을 이용하여 주변에 있는 다른 사람의 모습을 볼 수 있습니다.

4. 화산과 지진

18일차 화산과 화산 활동으로 나오는 물질

핵심 개념 확인하기 123쪽

❶ 화산 ❷ 분화구 ❸ 호수
❹ 기체 ❺ 용암 ❻ 화산재

문제로 완성하기 124~125쪽

1 화산 2 ②, ③ 3 ④
4 ㉢ 5 ㉡ 6 ③
7 (1) ㉡ (2) ㉠ (3) ㉣ (4) ㉢

1 화산은 마그마가 분출하여 만들어진 지형입니다.

2 백두산은 우리나라에 있는 화산으로, 땅속의 마그마가 분출하여 생긴 지형입니다.

3 ①, ②, ③, ⑤는 산꼭대기에 분화구가 있는 화산입니다. 지리산(④)은 마그마가 분출하지 않았고, 산꼭대기에 분화구가 없는 화산이 아닌 산입니다.

4 화산은 산꼭대기에 분화구가 있는 것도 있고, 분화구에 물이 고여 호수나 물웅덩이가 있는 것도 있습니다.

5 화산 가스에는 여러 가지 기체가 섞여 있으며, 화산 가스의 대부분은 수증기입니다.

6 화산 모형을 가열하면 알루미늄 포일 안에 있던 마시멜로가 녹아 알루미늄 포일 밖으로 흘러나온 후, 시간이 지나면 식으면서 굳습니다.

7 모형 화산과 실제 화산에서 나오는 물질을 비교하면 모형 윗부분에서 나오는 연기는 화산 가스, 포일 밖으로 튀어나온 마시멜로는 화산 암석 조각, 포일 밖으로 흐르는 마시멜로는 용암, 흘러나온 마시멜로가 굳은 것은 용암이 굳어서 된 암석에 해당합니다.

19일차 화산 활동으로 만들어진 암석

핵심 개념 확인하기 129쪽

❶ 화성암 ❷ 땅속 ❸ 지표
❹ 큽니다 ❺ 작습니다 ❻ 어둡습니다
❼ 거칩니다 ❽ 화강암 ❾ 현무암

문제로 완성하기 130~131쪽

1 ㉠: 마그마, ㉡: 화성암
2 ㉠: 화강암, ㉡: 현무암 3 ③
4 ㉠ 5 ③
6 ㉠: 화강암, ㉡: 현무암

1 주사기의 피스톤을 밀면 녹은 초콜릿이 종이컵 위에 고이고, 시간이 지나면 종이컵 위의 초콜릿이 굳습니다. 녹은 초콜릿이 굳는 것처럼, 마그마가 굳어 화성암이 만들어집니다.

2 화강암은 마그마가 땅속 깊은 곳에서 식으면서 굳어져 만들어지고, 현무암은 마그마가 지표 가까운 곳에서 식으면서 굳어져 만들어집니다.

3 화강암과 현무암 중 마그마가 땅속 깊은 곳에서 식어서 만들어진 암석은 화강암입니다.

오답 바로잡기

① 알갱이의 크기가 작다.
↳ 알갱이의 크기가 작은 것은 현무암입니다.
② 표면에 크고 작은 구멍이 있다.
↳ 표면에 크고 작은 구멍이 있는 것은 현무암입니다.
④ 대체로 어두운 바탕에 하얀색 알갱이가 있다.
↳ 화강암은 대체로 밝은 바탕에 검은색 알갱이가 있습니다.
⑤ 마그마가 분출할 때 가스 성분이 빠져나간 흔적이 있다.
↳ 마그마가 분출할 때 가스 성분이 빠져나간 흔적으로 구멍이 생기며, 현무암의 표면에는 구멍이 있는 것도 있습니다.

4 현무암은 색깔이 어둡고, 알갱이의 크기가 작습니다.

5 현무암과 화강암은 마그마가 식으면서 굳어져 만들어진 화성암입니다.

오답 바로잡기

① 전체적으로 색깔이 밝다.
↳ 현무암은 색깔이 어둡고, 화강암은 색깔이 밝습니다.
② 마그마가 빠르게 식어서 만들어진다.
↳ 현무암은 마그마가 빠르게 식어서 만들어지고, 화강암은 마그마가 천천히 식어서 만들어집니다.
④ 지표 가까운 곳에서 만들어진 암석이다.
↳ 현무암은 지표 가까운 곳에서 만들어진 암석이고, 화강암은 땅속 깊은 곳에서 만들어진 암석입니다.
⑤ 맨눈으로 구별하기 어려울 정도로 알갱이의 크기가 작다.
↳ 현무암은 맨눈으로 구별하기 어려울 정도로 알갱이의 크기가 작고, 화강암은 맨눈으로 구별할 수 있을 정도로 알갱이의 크기가 큽니다.

6 경주의 석굴암은 화강암으로 만들어졌고, 제주도의 돌하르방은 현무암으로 만들어졌습니다.

20일차 화산 활동이 우리 생활에 미치는 영향

핵심 개념 확인하기 135쪽

❶ 화산재 ❷ 비행기 ❸ 용암
❹ 지열 ❺ 화산재 ❻ 관광지

문제로 완성하기 136~137쪽

1 화산 활동 2 ② 3 ⑤
4 ㉡, ㉣ 5 ④ 6 ②

1 화산 활동으로 생긴 화산 분출물은 날씨를 변하게 하고, 생물이 호흡기 질병에 걸리게 하는 등의 피해를 줍니다. 그러나 땅속의 높은 열을 이용하여 전기를 얻는 등의 이로운 점도 있습니다.

2 화산재는 마을이나 농작물을 덮어 피해를 줍니다.

3 화산 주변 땅속의 높은 열을 지열 발전으로 이용하는 것은 화산 활동이 주는 이로움입니다.

4 화산 주변 땅속의 높은 열로 만들어진 온천을 개발하고, 화산재가 땅을 기름지게 하여 농작물이 잘 자라게 하는 것은 화산 활동이 주는 이로움입니다.

오답 바로잡기

㉠ 비행기 운항에 영향을 준다.
↳ 화산재는 비행기의 엔진을 고장나게 하여 운항을 어렵게 만듭니다.
㉢ 화산재가 마을이나 농작물을 뒤덮는다.
↳ 화산재가 마을이나 농작물을 뒤덮어 피해를 입힙니다.

5 석유 개발은 화산 활동과 관계가 없습니다. 화산 주변의 온천을 개발하여 관광지로 이용하고, 화산재는 오랜 시간이 지나면 기름진 농토를 만듭니다. 또한 화산 활동으로 생긴 암석은 건축물의 재료로 이용하고, 화산재로 화장품을 만들기도 합니다.

6 화산재가 햇빛을 차단하여 날씨가 변하는 것은 화산 활동이 주는 피해입니다.

21일차 지진이 발생하는 까닭과 지진 피해

핵심 개념 확인하기 141쪽

❶ 지진 ❷ 끊어 ❸ 규모
❹ 클 ❺ 아닙니다

문제로 완성하기 142~143쪽

1 ⑤ 2 ㉡ 3 ㉡
4 ④ 5 ③ 6 ①
7 ㉡ 8 ㉢

1 지진 발생 모형실험에서 우드록은 땅, 양손으로 미는 힘은 지구 내부에서 작용하는 힘, 우드록이 끊어질 때의 떨림은 지진을 나타냅니다.

2 우드록에 계속 힘을 주었을 때 우드록이 끊어지면서 떨림이 발생하듯이, 땅이 지구 내부에서 작용하는 힘을 오랫동안 받아 끊어지면서 지진이 발생합니다.

3 지진 발생 모형실험에서 우드록은 짧은 시간 동안 작용한 힘(양손으로 미는 힘)에 의해 끊어지지만, 실제 지진은 땅이 오랜 시간 동안 지구 내부에서 작용하는 힘을 받아 발생합니다.

4 땅이 지구 내부에서 작용하는 힘을 오랫동안 받으면 휘어지거나 끊어지기도 합니다.

5 지진이 발생하면 도로가 갈라지거나 끊어지고, 건물이 무너집니다.

6 규모는 지진의 세기를 나타냅니다.

7 지진의 세기는 규모로 나타내고, 규모의 숫자가 클수록 강한 지진입니다. 규모 5.8의 지진이 규모 5.4의 지진보다 강한 지진입니다.

8 우리나라에서 발생한 지진의 세기와 피해 정도는 다릅니다. 우리나라에서도 규모 5.0 이상의 지진이 발생하고 있으며, 우리나라는 지진에 안전한 지역이 아닙니다.

22일차 지진이 발생했을 때 대처하는 방법

핵심 개념 확인하기 147쪽

❶ 비상용품 ❷ 책상 ❸ 먼저
❹ 계단 ❺ 멀리 ❻ 재난 방송

문제로 완성하기 148~149쪽

1 ③ 2 ③ 3 ㉢
4 ㉠ 5 소현 6 ②

1 지진이 발생하기 전에 비상용품, 물, 구급약, 비상식량 등을 준비합니다.

2 지진에 의한 흔들림으로 떨어질 수 있는 물건은 낮은 곳에 둡니다.

3 지진이 발생했을 때 교실에서는 책상 아래로 들어가 머리와 몸을 보호하고, 책상 다리를 꼭 잡습니다.

4 지진으로 인한 흔들림이 멈추면 건물 안에서는 승강기 대신 계단을 이용하여 신속하게 이동합니다.

5 교실에서는 지진으로 흔들릴 때 책상 아래로 들어가 머리와 몸을 보호하고, 흔들림이 멈추었을 때 선생님의 안내에 따라 넓은 장소로 대피합니다.

6 지진이 발생한 후에는 다친 사람이 있으면 응급 처치를 하고, 구조 요청을 합니다.

18~22일차

스스로 정리하기 150쪽

❶ 용암(액체) ❷ 알갱이의 크기가 크다. ❸ 알갱이의 크기가 작다. ❹ 지열 발전에 이용한다. ❺ 지구 내부에서 작용하는 힘을 오랫동안 받아 끊어지면서 ❻ 상황과 장소에 따라 침착하게 행동한다.

단원 평가하기 151~153쪽

1 ④ 2 ⑤ 3 ㉡
4 수증기 5 ③ 6 화산 가스
7 모범 답안 화강암은 땅속 깊은 곳에서 마그마가 천천히 식어 만들어져 알갱이의 크기가 크다. 현무암은 지표 가까운 곳에서 마그마가 빠르게 식어 만들어져 알갱이의 크기가 작다.
8 ⑤ 9 ③
10 모범 답안 화산 주변 땅속의 높은 열을 이용한 것이다.
11 ① 12 ③ 13 지진
14 모범 답안 땅이 지구 내부에서 작용하는 힘을 오랫동안 받아 끊어지면서 지진이 발생한다.
15 ㉠: 규모, ㉡: 클수록 16 ㉠
17 ② 18 ③ 19 ④
20 ㉠

1 산꼭대기에 분화구가 없고, 뾰족한 산봉우리가 많은 설악산은 화산이 아닙니다.

2 화산은 마그마가 지표로 분출하여 쌓여 생긴 지형입니다.

오답 바로잡기

① 화산의 크기는 모두 같다.
② 화산의 생김새는 모두 같다.
→ 화산의 크기와 생김새는 모두 다릅니다.
③ 분화구에는 모두 물이 고여 있다.
→ 분화구에는 물이 고여 있는 것도 있고, 고여 있지 않은 것도 있습니다.
④ 화산의 산꼭대기에는 모두 분화구가 없다.
→ 화산의 산꼭대기에는 분화구가 있는 것도 있고, 없는 것도 있습니다.

3 용암은 액체이고, 화산재와 화산 암석 조각은 고체입니다.

4 화산 가스에는 여러 가지 기체가 섞여 있으며, 화산 가스의 대부분은 수증기입니다.

5 화산이 분출할 때 나오는 물질을 알아보는 화산 활동 모형 만들기입니다.

6 화산 활동 모형과 실제 화산 분출물을 비교하면 모형 윗부분에서 나오는 연기는 화산 가스에 해당하고, 포일 밖으로 흐르는 마시멜로는 용암에 해당합니다. 포일 밖으로 튀어나온 마시멜로는 화산 암석 조각에 해당합니다.

7 땅속 깊은 곳에서 마그마가 천천히 식어 만들어진 화강암은 알갱이의 크기가 크고, 지표 가까운 곳에서 마그마가 빠르게 식어 만들어진 현무암은 알갱이의 크기가 작습니다.

채점 기준
화강암과 현무암의 알갱이의 크기를 만들어지는 장소와 마그마가 식는 속도와 관련지어 옳게 비교하여 썼다.

8 화강암을 이루는 알갱이는 맨눈으로 구별할 수 있을 정도로 크기가 큽니다.

9 화산재는 비행기 엔진을 고장나게 하여 비행기 운항을 어렵게 합니다.

10 화산 주변 땅속의 높은 열을 온천이나 지열 발전 등에 이용합니다.

채점 기준
화산 주변 땅속의 높은 열을 이용하는 것이라고 옳게 썼다.

11 땅이 끊어지면서 흔들리는 것이 지진입니다.

12 우드록에 조금 힘을 주면 우드록이 휘어지며, 계속 힘을 주면 우드록이 큰 소리가 나면서 끊어집니다.

13 우드록이 끊어질 때 느껴지는 손의 떨림은 땅이 끊어지면서 흔들리는 지진과 같습니다.

14 지진은 땅이 지구 내부에서 작용하는 힘을 오랫동안 받아 끊어지면서 흔들리는 것입니다.

채점 기준
지구 내부에서 작용하는 힘을 오랫동안 받아 땅이 끊어지면서 지진이 발생한다고 옳게 썼다.

15 규모는 지진의 세기를 나타내고 규모의 숫자가 클수록 강한 지진입니다.

16 지진의 세기는 규모의 숫자가 클수록 강합니다. 따라서 규모가 7.1인 ㉠의 지진이 가장 강합니다.

17 최근 우리나라에서도 규모가 5.0 이상의 강한 지진이 발생하여 인명 피해 및 재산 피해가 발생하였으므로, 지진에 대비하는 자세가 필요합니다.

18 건물이나 담이 무너질 수 있으므로 건물이나 담에서 최대한 멀리 떨어집니다.

19 지진이 발생했을 때 대형 할인점에서는 장바구니로 떨어질 물건으로부터 머리와 몸을 보호합니다.

오답 바로잡기

① 산에서는 되도록 천천히 내려온다.
→ 산에서는 되도록 빨리 내려오고, 산사태에 주의하여 안전한 곳으로 대피합니다.

② 열차 안에서는 문을 열고 뛰어내린다.
→ 열차 안에서는 손잡이나 기둥, 선반 등을 꼭 잡고 기다리고, 차량이 정지한 뒤에는 안내에 따라 이동합니다.

③ 교실에서는 책상 위로 올라가 머리와 몸을 보호한다.
→ 교실에서는 책상 아래로 들어가 머리와 몸을 보호하고, 책상 다리를 꼭 잡습니다.

⑤ 영화관에서는 소지품이나 손으로 머리를 보호하고, 안내를 무시하고 밖으로 빠르게 나간다.
→ 영화관에서는 소지품이나 손으로 머리를 보호하고, 흔들림이 멈추면 안내에 따라 대피합니다.

20 다친 사람은 응급 처치하고, 구조 요청을 합니다. 지진이 다시 발생할 수 있으므로 떨어질 수 있는 물건은 높은 곳에 두지 않고, 재난 방송을 들으며 안전에 유의해야 합니다.

5. 물의 여행

23일차 물의 순환

핵심 개념 확인하기 157쪽

❶ 액체 ❷ 고체 ❸ 순환
❹ 증발 ❺ 응결 ❻ 날씨

문제로 완성하기 158~159쪽

1 ④ 2 (1) ㉠, ㉤ (2) ㉢, ㉣
3 (1) ㉠ (2) ㉡ 4 ㉢
5 ② 6 ③ 7 ⑤

1 만년설은 고체 상태입니다.

2 ㉠은 바다에서 물이 수증기가 되는 과정(액체 → 기체), ㉡은 수증기가 응결하여 구름이 되는 과정(기체 → 액체), ㉢은 빗물이 지하로 스며드는 과정(상태 변화 없음), ㉣은 식물의 뿌리에서 물이 흡수되는 과정(상태 변화 없음), ㉤은 식물의 잎에서, ㉥은 바다에서 물이 수증기가 되는 과정(액체 → 기체)입니다.

3 증발은 물이 수증기로 변하는 현상이므로 ㉠이고, 응결은 수증기가 물로 변하는 현상이므로 ㉡입니다.

4 따뜻한 물이 증발하여 기체 상태인 수증기로 변하면서 공기 중으로 이동합니다. 뚜껑 안쪽에 물방울이 맺히는 현상은 응결입니다.

5 차가운 뚜껑 밑면에 수증기가 응결하여 물방울이 맺힙니다.

6 물은 바다에, 모래는 육지에, 플라스틱 컵 안은 지구에, 모래 위 조각 얼음은 빙하에 해당합니다.

7 물은 식물과 동물의 생명을 유지시킵니다.

오답 바로잡기

① 물은 한곳에만 머물러 있다.
→ 물은 지구 전체를 이동하면서 순환합니다.

② 물이 순환할 때에는 상태가 변하지 않는다.
→ 물은 고체, 액체, 기체로 상태가 변하면서 순환합니다.

③ 물이 순환하면서 지구 전체 물의 양은 변한다.
→ 지구 전체 물의 양은 변하지 않습니다.

④ 물의 순환은 지형을 오랜 시간 동안 유지시킨다.
→ 물의 순환 과정에서 흐르는 물은 지형을 변화시킵니다.

24일차 물의 중요성과 물 부족 현상

핵심 개념 확인하기 163쪽

❶ 생명 ❷ 인구 ❸ 담수화

문제로 완성하기 164~165쪽

1 ② 2 ③ 3 ⑤
4 명인 5 ③ 6 ⑤

1 바람개비를 돌릴 때는 공기를 이용합니다.

2 물은 우리 생활에 다양하게 이용되고 있습니다.

3 이용했던 물은 다시 이용할 수 있지만, 자연에서 다시 이용할 수 있는 물이 되는 데는 오랜 시간이 걸립니다.

4 빨래는 모아서 한꺼번에 하고, 양치할 때는 수도꼭지를 잠그고 컵에 물을 받아서 합니다. 목욕할 때는 샤워기를 사용하면 물을 아낄 수 있습니다.

5 지구에 있는 물의 전체 양은 변하지 않지만 이용할 수 있는 물의 양은 줄어들고 있으며, 물을 다시 이용할 수 있을 때까지 시간과 비용이 많이 듭니다.

6 그림은 해수 담수화 시설입니다. ①은 안개 포집기, ②는 빗물 저금통, ③은 머니 메이커, ④는 와카워터에 대한 설명입니다.

23~24일차

스스로 정리하기 166쪽

❶ 육지, 바다, 공기 중, 생명체 등 여러 곳을 끊임없이 돌고 도는 과정 ❷ 증발하여 수증기가 되고 ❸ 응결하여 구름이 되며 ❹ 우리 생활에 다양하게 이용되고 ❺ 우리가 이용할 수 있는 물이 부족해지고 있다. ❻ 창의적인 방법으로 물을 모으고 물을 오염하지 않아야 한다.

단원 평가하기 167~168쪽

1 ④ 2 ④ 3 ④
4 (1) ㉢ (2) 모범 답안 물이 따뜻해지면서 증발이 일어나 수증기가 된다. 수증기는 차가운 뚜껑 밑면과 컵 안쪽 벽면에 응결하여 물방울이 된다. 물방울이 커지면 아래로 떨어진다. 모래 위의 얼음은 녹아 물로 이동한다. 이런 과정으로 컵 안의 물이 순환한다.
5 ㉡ 6 ㉡, ㉣ 7 ③
8 모범 답안 물은 우리 생활에 다양하게 이용되며, 동물과 식물이 생명을 유지하는데 필요하기 때문이다.
9 ㉡ 10 ④
11 모범 답안 양치할 때 컵에 물을 받아서 한다. 목욕할 때 욕조에 물을 받기보다는 샤워기를 사용한다. 빨래는 모아서 한꺼번에 한다. 설거지할 때 물을 받아서 한다. 모아 둔 빗물로 화단에 물을 준다.
12 (1) 안개 포집기 (2) 와카워터

1 강, 비, 과일, 안개에는 물이 액체 상태로 있습니다.

2 빗물의 일부는 땅속으로 스며들어 지하수가 되고, 일부는 강으로 모여 바다로 흘러갑니다.

3 물이 증발하면 수증기(㉠)가 되고, 수증기가 하늘 높이 올라가 응결하면 구름(㉡)이 됩니다.

4 물은 ㉡에서 기체, ㉠, ㉣에서 고체 상태입니다.

	채점 기준
상	㉢을 고르고, 컵 안에서 일어나는 물의 순환 과정을 증발과 응결을 포함하여 옳게 썼다.
하	㉢을 골랐지만, 물의 순환 과정을 옳게 쓰지 못했다.

5 물의 순환에서 지구 전체 물의 양은 변하지 않습니다.

6 물은 사람이나 식물의 몸속에서 생명을 유지시키는 데 이용됩니다.

7 배에 물건을 싣고 물건을 운반할 수 있지만, 물건을 이동시킬 때 반드시 물이 필요한 것은 아닙니다.

8

	채점 기준
상	물이 다양하게 이용된다는 것과 생물이 생명을 유지하는 데 필요하다는 것을 모두 옳게 썼다.
하	물이 다양하게 이용된다는 것과 생물이 생명을 유지하는 데 필요하다는 것 중 한 가지만 옳게 썼다.

9 사람들이 물을 낭비하거나 오염된 물이 증가하면 이용할 수 있는 물의 양이 줄어 물이 부족해집니다.

10 물을 확보하기 위한 기술 개발은 물 부족 현상으로 겪을 수 있는 어려움을 해결하는 방법입니다.

11

채점 기준
물을 아껴 쓰기 위해 실천할 수 있는 일 한 가지를 옳게 썼다.

12 해수 담수화는 바닷물에서 소금 성분을 없애 이용할 수 있는 물로 바꾸는 방법입니다.

오투 오·투·시·리·즈 생생한 시각자료와 탁월한 콘텐츠로 과학 공부의 즐거움을 선물합니다.

대표전화 1544-0554
주소 서울특별시 구로구 디지털로33길 48 대륭포스트타워 7차 20층